Mon premier appart

GUIDE DE SURVIE

Conception de la couverture et de la grille : Geneviève Laforest
Illustrations : shutterstock.com
Révision : Odette Lord
Correction d'épreuves : Frédéric Barriault

Imprimé au Canada

ISBN : 978-2-89642-794-9

Dépôt légal – Bibliothèque et Archives nationales du Québec, 2013
© 2013 Éditions Caractère

Les Éditions Caractère remercient le gouvernement du Québec – Programme de crédit d'impôt pour l'édition de livres – Gestion SODEC

Les Éditions Caractère reconnaissent l'aide financière du gouvernement du Canada par l'entremise du Fonds du livre du Canada pour leurs activités d'édition.

Visitez le site des Éditions Caractère
editionscaractere.com

JEAN-PHILIPPE GRAVEL

Mon premier appart

GUIDE DE SURVIE

Table des matières

5

TABLE DES MATIÈRES

AUTRES CONSEILS   207

ÉPILOGUE   225

RÉFÉRENCES   229

Avant-propos

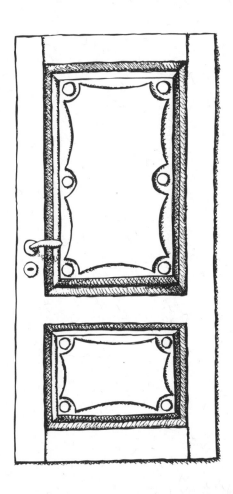

Cas vécu

Du temps qu'Étienne vivait encore chez ses parents, l'ordre avait toujours prévalu sans lui, comme si les choses s'entretenaient d'elles-mêmes. Il avait bien vu son père et sa mère s'activer autour des fourneaux avant l'heure des repas, mais il ne s'était jamais imaginé à leur place en train de faire les mêmes choses en maniant les mêmes ustensiles. « Ce sont des responsabilités, des trucs d'adultes. » Ses raisons à lui d'être sur Terre : faire ses devoirs et obtenir de bonnes notes, écouter sa musique, se rendre à ses entraînements sportifs et sortir voir ses amis.

Les premières semaines qu'il a passées dans son nouvel appartement, seul maître à bord, ont été un choc. Admis dans un cégep d'une grande ville, Étienne s'est installé dans un 3½ — ou plutôt, y a été installé grâce à la participation de ses parents qui s'étaient en grande partie occupés du déménagement à sa place.

Or, Étienne s'est vite aperçu, quand il s'est retrouvé seul, qu'il ignorait pas mal de choses, autant pour la gestion de ses finances que pour l'organisation de son quotidien. Par exemple, après quelques jours, il a constaté que l'allocation que lui allouaient ses parents baissait plus vite que prévu. Et il s'inquiétait de ne pouvoir continuer à manger ses repas quotidiens à la cafétéria du cégep ou dans les restos du coin.

Un soir, une voisine, étudiante comme lui, est venue lui dire que ses sacs à ordures ne pouvaient continuer à s'empiler indéfiniment sur leur balcon commun. Ah? Ce n'est pas le concierge qui s'en charge? Eh bien, non! Et comme les choses ne se ramassaient ni ne se lavaient toutes seules, il en a été bientôt réduit à renifler les vêtements qui traînaient pour choisir ceux qu'il porterait dans la journée, avant de se décider à tout flanquer dans la plus grosse machine à laver de la buanderie du coin. À la fin du cycle de lavage, il a constaté que ses vêtements blancs n'étaient plus aussi blancs qu'avant. C'était certainement un défaut de la machine! Quand il a signalé le problème à l'employée de la buanderie, elle lui a dit que la machine fonctionnait parfaitement bien. C'est plutôt lui qui n'avait pas trié le blanc et les couleurs. Étienne ne savait pas que les couleurs vives, les étoffes blanches et les couleurs sombres se lavaient séparément. Chez les parents d'Étienne, on n'avait jamais lavé son linge sale en famille. Peut-être qu'on aurait dû...

*

Laissons là Étienne et ses mésaventures domestiques. Si, à vos yeux, son inexpérience fait de lui un personnage comique, c'est que vous avez déjà plus d'autonomie que lui. Un exploit pas très difficile à réaliser, direz-vous. Et pourtant, qui n'a pas entendu parler d'histoires de ce genre, où un cousin, un ami ou un proche, tout en poursuivant de brillantes études, s'est avéré incapable de faire sa lessive ou de se préparer un repas?

Et vous, vous sentez-vous assez outillé pour dénicher votre premier appartement, préparer votre déménagement, tenir un budget, entretenir votre logis et avoir de bonnes relations avec vos voisins, votre colocataire et votre propriétaire?

*

Chaque année, plusieurs étudiants et jeunes adultes sont propulsés dans la vie indépendante sans beaucoup de préparation. Si certains rudiments de sens pratique et de civisme s'apprennent sur le tas, nombreux sont ceux qui, en débutant et en avançant dans leur carrière, ne sauront pas encore bien tenir leur budget, payeront grassement des professionnels pour accomplir des tâches courantes, tout en cédant aux facilités d'une alimentation faite de mets préparés dont la valeur nutritive est rarement optimale.

Ce livre s'adresse d'abord aux étudiants qui s'apprêtent à faire leurs premiers pas dans la vie autonome. Même si, au fond, il n'y a pas d'âge pour apprendre, nous pensons simplement qu'il vaut mieux apprendre, par exemple, à tenir un budget à 20 ans plutôt qu'à 30, car ça évite bien des problèmes. Le proverbe a beau dire *mieux vaut tard que jamais,* nous pensons aussi qu'entre 18 et 22 ans, c'est le moment tout indiqué pour acquérir des habitudes de saine gestion, de sens pratique, de planification et d'entretien qui, au même titre que vos études, donneront une base solide à la réalisation de vos projets.

En d'autres mots, la vie indépendante, ça se prépare! Et ce guide n'a pas d'autre objectif que de vous y aider. L'établissement d'un budget, la recherche d'un logement et les enjeux que représentent le contrat du bail et la vie en colocation, de même que la préparation d'un déménagement y sont traités dans le détail. Une section de ce livre est aussi consacrée à des conseils et à des informations concernant la gestion du quotidien (l'organisation d'un frigo, la conduite d'un vélo en ville, les menus travaux d'entretien, etc.), et aborde aussi certains problèmes (perte de ses clés ou de ses papiers, ou encore problèmes de vermine) dont, nous l'espérons, vous ne ferez jamais l'expérience.

Nous ne nous attarderons pas davantage aux débuts d'Étienne, bon étudiant sous tous rapports, mais qui mettra des années à comprendre comment équilibrer son budget. Vous ferez également la connaissance de certains personnages comme Vincent, un jeune cégépien qui choisit d'aller vivre seul, ou Valérie, future coloc de sa meilleure amie, sans oublier Pierre et Nadine, qui nous ferons voir à quoi ressemble un déménagement quand on a recours aux services d'un déménageur professionnel.

Cela dit, quel que soit votre profil, vos préférences et vos choix, nous espérons d'abord que ce livre saura vous renseigner agréablement, mais – surtout – qu'il vous préparera le mieux possible à la vie en appartement. Bonne lecture!

Chapitre 1
Les bases du budget
De 8 à 4 mois avant le déménagement

Zoom sur...

Zoé et Valérie

Zoé avait un an de plus que sa meilleure amie Valérie, et elle fréquentait déjà le cégep. Zoé lui racontait les professeurs que leur matière passionnait tellement que les élèves s'en passionnaient aussi, l'activité qui continuait quand les cours étaient finis, les projets que les étudiants faisaient, les fêtes, les voyages, les spectacles et le journal étudiant. Elle n'avait pas envie de quitter cet endroit quand les cours étaient terminés. Aurais-tu osé penser ça d'une école, toi?

Mais Zoé devait toujours partir. Elle habitait chez ses parents, et c'était loin de l'école. Elle se plaisait bien chez elle et n'avait pas prévu s'attacher autant au cégep. Maintenant, les jours où elle avait des cours, elle devait faire deux heures d'autobus. Des amis qui vivaient en colocation près du cégep avaient beau l'héberger gentiment, elle ne voulait pas les encombrer. L'année prochaine, elle déménagerait, c'est certain.

– Crois-moi, disait-elle à Valérie, avec un air de grande sœur, il faut que tu habites proche pour en profiter vraiment. Ne fais pas la même erreur que moi. Et puis, peut-être qu'on pourrait aller en appart ensemble? Voudrais-tu être ma coloc?

Valérie n'en savait rien, elle ne savait même pas où elle étudierait l'an prochain. Mais bon, pourquoi pas? Et elle promit d'y penser.

– C'est ça, penses-y, lança Zoé. Penses-y bien.

Et c'est ce que Valérie a fait, non sans vertige.

*

Vincent

En bas, la télé était ouverte, mais personne ne la regardait. On entendait le bruit des casseroles. Le souper serait prêt bientôt. Patrick était dans sa chambre et travaillait sa guitare. Encore une fois, son frère avait « oublié » de mettre des écouteurs. Vincent, lui, avait du mal à se concentrer. Le roman qu'il devait finir de lire pour son cours de français l'intéressait plus ou moins. Mais il fallait continuer de lire parce que demain, il travaillerait, il n'aurait pas le temps. Samedi, grosse journée pour tourner des galettes de hamburger.

Sur son bureau désordonné (« Vincent, range ta chambre! Vincent, comment tu fais pour travailler là-dedans? »), il y avait son carnet bancaire. Il le consulta. Les dépôts et les retraits s'affichaient en colonnes. Dernier solde au compte: 2500 $. Pas mal...

Vincent imaginait l'arrivée de son prochain chèque. Environ 300 $ ce jeudi. Soustraire de cette somme de 80 à 120 $ d'ici le prochain chèque.

Depuis le début des classes, il n'avait jamais retiré plus de 60 $ par semaine. Quarante, c'était mieux. Mais les gâteries, mon ami, ça se paie.

« Je m'en sors bien quand même, pensait-il. J'économise tout le temps au moins la moitié de l'argent que je gagne. Et en plus, Noël s'en vient. On sait ce que ça veut dire: des cadeaux en argent, et plus d'heures à travailler aux Bons Burgers. »

La musique explosait toujours dans la chambre à côté. Vincent en était arrivé à considérer le silence comme une denrée rare et précieuse, certainement plus précieuse que la liberté d'écouter sa musique à plein volume.

Il a jeté un autre coup d'œil sur son carnet bancaire et il s'est dit qu'il irait vivre seul l'année prochaine (c'était déjà décidé), mais qu'en plus, en faisant attention, il réussirait à le faire.

La tête a commencé à lui tourner un peu. Le vertige, probablement.

*

Pierre et Nadine

Pierre et Nadine s'entendaient bien : la preuve c'est que dans l'étroit 3½ de Pierre, ils pouvaient travailler des heures sans se déranger, lui à son bureau, elle sur la table de cuisine, dans l'aire ouverte, avec pour seul bruit le cliquetis de leurs claviers. Ils passaient le test, en quelque sorte. Coincée dans un petit appartement bruyant, Nadine s'était mise à passer de plus en plus de temps chez Pierre. Ils planchaient, chacun de leur côté, sur leur travail et leurs recherches, se consultaient de temps à autre, et se fixaient un temps d'arrêt : jamais plus tard que 20 h. Puis ils s'arrêtaient et s'accordaient de petites attentions, regardaient un film, projetaient ce qu'ils feraient de leurs jours de liberté : la vie d'un couple tranquille, installé dans son rythme.

– Raconte-moi l'histoire de tes meubles, demanda Nadine à Pierre.

– Bien, dit Pierre en reposant son crayon. Le bureau appartenait à mon père. La table de la cuisine était dans la salle à manger de sa blonde. Les étagères viennent de mon père aussi, mais la bibliothèque basse avec la télé dessus m'a été donnée par le mari de ma mère. Le classeur provient du bureau de mon oncle, où on remplaçait tout le matériel. À part ça, les deux petites tables de nuit viennent chacune d'une de mes anciennes blondes, et les lampes de chevet datent de la période où ma mère fabriquait des abat-jour.

– Et ça fait combien de temps que tu ramasses ça ?

– Depuis que je vis en appartement, chère. Six ans ? J'ai une famille dépareillée… comme mes meubles !

– J'aimerais ça qu'on aille vivre ensemble. Qu'est-ce que tu en penses ?

Le cœur de Pierre a fait, comme on dit dans ces cas-là, un bond.

Alors, ils ont commencé à parler de ne pas renouveler leur bail respectif, qu'il faudrait s'attendre à déménager un 1er juillet, comme beaucoup de monde, qu'il faudrait s'y prendre d'avance et y mettre le prix si on voulait éviter les problèmes. Non sans vertige, Pierre se dit aussi qu'il faudrait qu'il recommence à faire un budget sérieux…

Vers l'autonomie financière

Les chapitres qui traitent du budget n'ont qu'un seul objectif : vous aider à tenir un budget à jour et à en tirer le maximum. Vous en découvrirez les mécanismes, les manières de l'utiliser, et vous y apprendrez qu'il n'y a pas d'autonomie véritable sans autonomie financière. À terme, un budget bien tenu vous permet :

>> de connaître précisément quels sont vos revenus et vos dépenses quotidiens ;

>> de vous fixer des objectifs d'épargne adaptés à vos revenus et à vos besoins (car, oui, on peut épargner de l'argent même en en gagnant peu) ;

>> d'éviter l'endettement (ou de mieux contrôler vos dettes), bref, de vous tenir financièrement « à flot » ;

>> de réaliser des projets qui coûtent de l'argent.

Évidemment, tenir un budget n'a pas pour but de vous compliquer la vie. Au contraire, le budget est conçu pour vous rendre service, en vous aidant à mieux contrôler vos finances.

Rappelez-vous de vos premiers emplois d'été. S'il arrive que dès l'âge de 16 ans, des gens travaillent pour subvenir à des besoins essentiels comme le logement et la nourriture, il est plus probable que vous ayez décroché des emplois d'été ou travaillé pendant vos études secondaires pour augmenter votre pouvoir d'achat. Vous n'aviez pas de loyer à payer, pas de factures d'électricité (mais peut-être des factures de téléphone), pas d'assurance habitation… Vous n'avez pas travaillé pour empêcher vos dix petits frères et petites sœurs orphelins de mourir de faim et de froid dans une maison abandonnée au fond des bois…

Valérie — L'été dernier, elle a eu la chance d'être embauchée par « le » restaurant chic de la ville… Elle a travaillé quatre ou cinq soirs par semaine, et parfois plus pour dépanner. Bien sûr, son salaire n'était « que » de 8,75 $ l'heure, mais les pourboires étaient aussi élevés que la nourriture était chère : il n'était pas rare qu'elle fasse 100 $ de pourboire par soir… Ce qu'elle s'est payé avec ça ! Une garde-robe d'enfer, des chaussures écœurantes… Elle a emmené des amies dans un hôtel chic pour l'anniversaire de l'une d'elles : son rêve… Elle faisait la belle vie avec ses copines, sortait autant qu'elle voulait quand elle était en congé. Des fois, elle payait pour les autres. Ça ne la dérangeait pas parce que l'argent, c'est fait pour qu'on le dépense, on n'a rien qu'une vie à vivre et elle se valorisait en se disant qu'elle n'était pas près de ses sous, surtout quand elle en avait autant dans ses poches… Mais là, elle s'est dit qu'il y a des limites : elle aurait *dû y aller mollo, comme dépenser son salaire et épargner sur ses pourboires (elle a fait le contraire), parce qu'il ne lui reste pas grand-chose de cet argent-là*

maintenant… Et qu'elle ne veut pas que le travail nuise à ses études…

Ah, qu'ils semblent doux ces jours de lune de miel que vous passez avec l'argent gagné à la sueur de votre front, à vous payer les choses qui vous plaisent ! C'est une période où il n'est pas nécessaire de compter chaque sou, où la survie ne dépend pas du salaire. On finit même par croire que l'argent sert d'abord à se faire plaisir, à satisfaire des *désirs* plus que des *besoins*, mais comme l'histoire de Valérie le montre, cela entraîne des conséquences.

Eh bien, il y a une ou deux choses qu'il vous faut savoir !

Dès qu'on vit en appartement, qu'on commence sa vie indépendante, on doit vite faire face à une foule de dépenses, de factures, de marges de crédit et de toutes sortes de frais. Et on peut vite se sentir dépassé si on ne les paie pas au moment voulu ou si on les a mal évalués. Or, dans une économie capitaliste, l'autonomie d'une personne se mesure presque toujours à son autonomie financière. C'est la même chose pour ce qu'on appelle la liberté, n'en déplaise aux poètes.

Mais ne vous inquiétez pas, nous sommes ici pour vous aider.

Si vos parents vous ont dit qu'ils vous donneraient un coup de main sur le plan financier pendant vos études, est-ce que ça fait une différence ?

La réponse à cette question est non : l'origine de l'argent n'est pas importante. Du moment que cet argent devient votre argent, c'est ce à quoi il va servir qui est important. Et dès que vous entrerez dans la vie autonome, la gestion de vos finances fera un virage sérieux vers ce qui est *nécessaire*. Vos dépenses ne serviront plus autant à payer les choses que vous désirez, mais serviront, en grande partie, à satisfaire des besoins de base, comme vous loger et vous nourrir. C'est le moment de vérité où l'argent devient une affaire sérieuse dont dépendent votre réussite et votre qualité de vie.

Si on considère qu'un déménagement, en soi, peut coûter très cher, et que votre premier mois en appartement va entraîner des dépenses importantes, c'est *maintenant* qu'il faut vous préparer. Le plus tôt possible. Il suffit que vous sachiez que vous déménagerez. Vous ne savez peut-être pas encore *où ni quand* vous déménagerez, mais peu importe : plus on se prépare tôt, plusieurs mois d'avance, meilleurs sont les résultats.

Nos deux objectifs

Les exposés budgétaires que nous allons faire vont servir deux objectifs qui dépendent l'un de l'autre. Le premier consistera à présenter quelques chiffres pour vous aider à **prévoir ce que coûtera, mensuellement, la vie en appartement** pendant vos études, ainsi que vous préparer à y faire face. Autrement dit, il s'agira d'établir ce qu'on appelle un « budget de roulement ».

Notre second objectif traitera d'un budget à part, le **budget du déménagement**, parce que déménager, puis s'installer en appartement entraîne des dépenses particulières assez importantes. Ce budget se compare plutôt à la **planification d'un projet**. Dans tous les cas, on tâchera d'envisager plusieurs scénarios possibles : à vous, ensuite, de choisir ou de reconnaître celui qui vous correspond le mieux.

Le budget, par étapes

Vous vous demandez par où commencer ? Dites-vous qu'un budget ressemble un peu à un oignon ou à une collection de poupées russes. Toutes les couches se superposent et s'emboîtent les unes dans les autres. Pour arriver à un portrait global où chaque partie forme un tout cohérent avec l'ensemble (du relevé des dépenses quotidiennes au relevé et à la planification de vos dépenses à plus grande échelle : échelle mensuelle, échelle annuelle…), il faut s'armer de patience, vouloir y mettre le temps, et se montrer disposé à réviser périodiquement ses prévisions.

Le budget évolue toujours

Il est courant que la plupart des budgéteurs expérimentés révisent et réajustent leur budget et leurs prévisions budgétaires non seulement tous les mois, mais aussi tous les trois mois, puis tous les six mois, puis tous les ans et plus encore, car les conditions de la vie et les projets qu'elle inspire changent toujours. Cette méthode s'applique aussi aux étudiants autonomes dont les revenus saisonniers varient beaucoup, où il faut répartir les économies amassées grâce à un emploi d'été sur la durée d'une année scolaire, au cours de laquelle les revenus sont moindres et les dépenses plus importantes.

Avant d'évaluer quels seront vos besoins pour déménager et vivre en appartement (ce qui est votre objectif à moyen terme), et de prévoir vos dépenses et vos revenus pendant votre première année d'études, il vous faudra, pour commencer à tenir un budget, en maîtriser la base, c'est-à-dire faire le suivi quotidien de vos revenus et de vos dépenses.

Pour ce faire, une seule méthode : vous devrez prendre l'habitude de *noter chacune de vos dépenses et chacun de vos revenus quotidiens* dans un livre ou un cahier de comptes personnels, sans en oublier. C'est la première étape essentielle, celle qui vous donnera un portrait précis de votre comportement financier, et qui vous permettra de mieux l'orienter en fonction de vos objectifs.

Et pour ceux qui sont allergiques aux mathématiques, retenez que cette pratique n'exigera pas de votre part de compétences très poussées en calcul. Ce qu'elle demande, en revanche, c'est de la discipline…

Le carnet budgétaire : un bon truc pour les débutants

Voici une méthode pour vous aider à noter vos dépenses et vos revenus tous les jours.

Procurez-vous d'abord un petit carnet de notes peu encombrant (il devrait pouvoir tenir dans votre poche), où vous noterez tous les jours (à raison d'une page par jour, dûment datée) chacune des dépenses que vous faites, en mentionnant le montant déboursé et la raison de la dépense. Répétez l'opération pendant 7 jours. Cela devrait occuper les pages 1 à 7 de votre cahier.

Dans l'intervalle, si vous avez reçu de l'argent (salaire, argent de poche, cadeaux, etc., sans oublier les pourboires : notez tout !), reportez-vous à la page huit du cahier pour les inscrire (encore une fois, inscrivez la date).

Au bout d'une semaine, les pages 7 et 8 de votre carnet pourront ressembler à ceci :

Dépenses	p. 7	Revenus	p. 8
Dimanche 10 mars		**7 mars** Salaire	250,00
Autobus	3,50	**9 mars**	
Film IMAX avec Elisa	17,50	Cadeau (je t'aime,	100,00
Trio Popcorn Super Size	8,00	grand-maman !)	
TOTAL	**29,00**	**TOTAL**	**350,00**

Maintenant que vous avez complété une semaine de ce travail pas si harassant, munissez-vous d'une autre feuille, et additionnez les deux sommes : celle de vos dépenses et celle de vos revenus hebdomadaires, puis **inscrivez les résultats à la page 9 de votre carnet et comparez-les**. (Pour obtenir un résultat équilibré, si vous êtes payé seulement toutes les 2 semaines et que vous n'avez pas eu d'autres revenus entre-temps, vous pourrez faire ce calcul une fois toutes les 2 semaines, plutôt qu'une fois par semaine. Le véritable équilibre de vos dépenses et de vos revenus devrait couvrir une pleine période de salaire.)

Qu'observez-vous ? La première chose à vérifier, c'est l'équilibre entre la somme de vos revenus et la somme de vos dépenses. Trois résultats sont possibles :

>> **Les revenus sont supérieurs aux dépenses**. Dans ce cas, félicitez-vous : vous avez un budget excédentaire et vous utilisez sans doute déjà des trucs pour mieux économiser (sans que cela fasse de vous un avare).

>> **Les revenus sont à peu près égaux aux dépenses**. Bravo, votre budget est en équilibre, mais rappelez-vous que cet équilibre est très précaire. Il suffirait d'un imprévu pour que vous ne vous retrouveriez dans une situation où…

>> **Les dépenses sont supérieures aux revenus**, et votre budget (de la semaine ou de la quinzaine) se trouve en déficit. Une fois n'est peut-être pas coutume, mais si ce résultat correspond à vos habitudes, vous vivez clairement au-dessus de vos moyens et bientôt, les compagnies de cartes de crédit se feront un plaisir de s'enrichir à vos dépens.

Quoi qu'il en soit, et quels que soient vos résultats quand la semaine est finie, c'est le moment de vous livrer à un travail de **réflexion** : demandez-vous ce que vous auriez pu faire *pour économiser plus*, pour éviter des dépenses superflues. Dans l'exemple ci-dessus, acheter une entrée de cinéma normale au lieu d'une entrée IMAX aurait représenté une épargne d'environ 5 $. Acheter un popcorn de format normal ou manger à la maison avant de sortir aurait aussi diminué le montant des dépenses.

Des calculs révélateurs

Il suffit d'avoir calculé ses dépenses une semaine, voire un jour, pour pouvoir s'amuser à calculer le prix des choses à long terme. Voici un problème mathématique facile :

Si Valérie regarde un film IMAX par semaine, combien cela lui coûtera-t-il au bout d'une année ? (Réponse facile : 18 $ × 52 semaines = 936 $.) Et si elle achète un billet normal à la place ? (Réponse : 12 $ × 52 = 654 $). Et combien aura-t-elle économisé si elle fait ce choix ? (936 $ – 654 $ = 312 $). Et si elle y allait deux fois par mois au lieu d'y aller chaque semaine ?, etc. Vous verrez, on devient vite accro à ce genre de calcul.

Mais revenons à votre travail de **réflexion**. Si vous avez eu des idées sur des occasions d'économiser, **notez-les à la page 10** de votre cahier, et recommencez à noter vos dépenses et vos revenus pour 7 jours en tâchant de respecter vos résolutions et vos limites de la semaine. Voici quelques exemples d'occasions d'économiser :

>> Acheter des CD et des livres d'occasion, plutôt que des neufs ;

>> Effectuer des retraits uniquement dans les guichets de sa propre banque (pour éviter les frais de transaction supplémentaires) ;

>> Inviter les amis à manger à la maison, plutôt qu'au restaurant ;

>> Aller au cinéma moins souvent et louer des films ;

>> Se faire des lunchs, plutôt que manger à la cafétéria ;

>> Utiliser le vélo ou les transports en commun, plutôt que la voiture ;

>> Courir les ventes d'entrepôt ou de fin de saison pour les vêtements ;

>> Aller à moins de concerts payants et profiter des événements culturels gratuits de son quartier (comme ceux des maisons de la culture).

Sept jours plus tard, vérifiez de nouveau l'équilibre de votre budget. Avez-vous respecté vos objectifs ? Est-ce qu'il y a eu des imprévus ? De nouvelles décisions à prendre ? Entrevoyez-vous de nouveaux objectifs à atteindre à plus long terme ? Écrivez tout ce qui paraît pertinent. Pour obtenir un portrait réaliste de vos dépenses, vous devriez répéter ce cycle **pendant au moins un mois**.

Pourquoi faut-il ne rien oublier ?

Il ne faut rien oublier parce que les petites dépenses peuvent absorber d'importantes sommes avec le temps. Imaginons que vous aimez vous payer un café dans un lieu sympathique. Eh bien, en calculant un café par jour au prix moyen de 2,25 $, votre bilan annuel vous révélera que 821,25 $ ont été absorbés seulement dans ce café. Deux mois de loyer, ni plus ni moins !

Du carnet aux grilles de calcul

La technique du petit carnet est pratique pour un budgéteur débutant parce qu'on peut le transporter partout et y noter ses dépenses à mesure. Toutefois, après vous être astreint pendant un certain temps (un mois et plus) à cet exercice quotidien, vous finirez par trouver encombrant d'avoir à tourner toutes ces pages pour réviser votre budget. Une solution plus pratique consiste donc à conserver toutes ses factures de la journée (et de la semaine), pour inscrire ses dépenses et ses revenus dans une grille de calcul.

Pour ce faire, procurez-vous un cahier de format ordinaire (cahier spirale ou cahier aux feuilles quadrillées) dans lequel les dépenses et les revenus quotidiens tiendront sur une seule page, ou découpez et photocopiez la **Grille de calcul des revenus et des dépenses hebdomadaires** (voir p. 26). À chaque semaine qui se termine, vous saisirez d'un coup d'œil le relevé de vos dépenses et de vos entrées d'argent. Bien que nous vous conseillons de les noter tous les jours, peut-être choisirez-vous de le faire une fois par semaine (si conserver vos factures une semaine ne représente pas un casse-tête pour vous).

Grille de calcul des revenus et des dépenses hebdomadaires

Semaine du _____ / _____ / _____

Dépenses	*Revenus*
Lundi	
Mardi	
Mercredi	
Jeudi	
Vendredi	
Samedi	
Dimanche	
A : Sous-total =	B : Sous-total =
TOTAL (A — B) =	

Grille de calcul des revenus et des dépenses hebdomadaires

Semaine du _____ / _____ / _____

Dépenses	Revenus
Lundi	
Mardi	
Mercredi	
Jeudi	
Vendredi	
Samedi	
Dimanche	
A : Sous-total =	B : Sous-total =
TOTAL (A — B) =	

Grille de calcul des revenus et des dépenses hebdomadaires

Semaine du _____ / _____ / _____

Dépenses	Revenus
Lundi	
Mardi	
Mercredi	
Jeudi	
Vendredi	
Samedi	
Dimanche	
A : Sous-total =	B : Sous-total =
TOTAL (A — B) =	

Grille de calcul des revenus et des dépenses hebdomadaires

Semaine du _____ / _____ / _____

Dépenses	Revenus
Lundi	
Mardi	
Mercredi	
Jeudi	
Vendredi	
Samedi	
Dimanche	
A : Sous-total =	B : Sous-total =
TOTAL (A — B) =	

Quelques infos pour les prévisions budgétaires

En notant minutieusement vos entrées et vos sorties d'argent, vous amorcez une enquête qui vise, à terme, à vous faire mieux connaître le profil de vos dépenses et de votre comportement financier, et à vous faire adopter des stratégies d'épargne quotidiennes efficaces. Mais cette démarche n'est que le début ! Il faut maintenant vous poser certaines questions, très importantes : « Est-ce que j'ai les moyens de vivre en appartement ? Est-ce que j'ai les moyens de déménager ? » Vous devez progressivement vous efforcer de faire vos prévisions budgétaires ; un plan de match qui vous permettra de réaliser ces objectifs. Et pour cela, il faut prévoir que vos sources de revenu, et la nature de vos dépenses, changeront beaucoup quand commencera votre vie en appartement.

La transformation du régime des dépenses

Sitôt qu'on s'en va vivre en appartement, nos dépenses et nos revenus connaissent une transformation quantitative et qualitative : les montants augmentent et leurs fonctions (ce à quoi ils servent) varient. Voici comment se distribuent la plupart de ces transformations majeures :

>> Vous vous retrouvez avec un ensemble de **dépenses fixes** à honorer tout au long de l'année, et dont la somme peut occuper à elle seule une fraction importante de votre budget (25 % et plus). À l'échelle mensuelle, ces dépenses fixes comprennent le paiement du loyer, les frais de téléphonie et d'Internet et d'autres services, les versements à votre police d'assurance habitation, ainsi que vos dépenses énergétiques (chauffage, eau chaude, etc.). Ce sont les dépenses fixes, car elles ne varient pas (ou peu) d'un mois à l'autre et peuvent se calculer d'avance.

>> Vos **dépenses variables** (dont fait certainement partie la majorité de celles que vous inscrivez en ce moment dans votre grille quotidienne de dépenses) se diversifient et changent de nature : aux dépenses d'agrément et de loisirs (qui occupaient sans doute la majorité de vos dépenses) viennent s'ajouter (jusqu'à les dominer) les dépenses de subsistance comme l'épicerie, les soins de santé, les frais de transport, l'entretien ménager, l'achat et l'entretien de vêtements, etc. Ces dépenses sont qualifiées de « variables », car elles peuvent fluctuer d'un mois à l'autre.

>> Certaines **dépenses ponctuelles** viennent aussi s'ajouter à ces ensembles, comme les frais d'inscription et les frais afférents au cégep (payables en début de session), l'achat de livres et de fournitures scolaires, d'un nouvel ordinateur, d'une nouvelle paire de lunettes, de vêtements pour l'hiver, etc.

>> Enfin, les **dépenses liées au déménagement et à l'emménagement** en appartement, comme la location d'un camion ou l'embauche d'une équipe de déménageurs, l'achat de meubles et d'équipement, les frais de branchement (ou d'ouverture de dossier) imposés par les fournisseurs de services sont autant de dépenses qui font en sorte que **le premier mois en appartement est toujours le plus cher**, et nécessite une mise de fonds.

La transformation des sources de revenu

Étudier et vivre en appartement ne transformera pas que votre régime de dépenses : il transformera et diversifiera aussi vos sources de revenu au cours de l'année. Pour estimer vos ressources financières dans vos prévisions budgétaires, il vous faudra tenir compte :

>> des économies dont vous disposez déjà (par exemple, les revenus économisés de votre dernier emploi d'été) ;

>> de l'apport financier de vos parents ;

>> des montants de l'aide financière aux études (programme de prêts et bourses) qui vous seront versés au cours de l'année scolaire ;

>> des revenus de votre emploi actuel (s'il y a lieu) ;

>> des revenus d'un prochain emploi d'été ;

>> des revenus d'un emploi à temps partiel en cours de session ;

>> d'autres sources de revenu (s'il y a lieu).

Chose certaine, l'essentiel est de commencer à épargner et à se préparer maintenant. Ne soyez pas tenté de travailler à plein temps ou plus qu'il n'en faut pendant l'année scolaire pour honorer vos comptes courants. C'est une solution à éviter ! Il est couramment rapporté que **travailler plus de 15 heures par semaine dans un emploi rémunéré en cours de session a un impact négatif sur les résultats scolaires**. Si vos priorités sont effectivement fixées sur la réussite de vos études, nous vous déconseillons de choisir un emploi accaparant qui ferait concurrence à vos études pendant l'année scolaire. Il vous faudra envisager d'autres solutions, comme vivre en colocation, réduire certaines dépenses et peut-être, dans les situations les plus précaires, choisir d'étudier à temps partiel s'il est évident (vous n'avez pas d'autre choix) que la nécessité vous contraint à travailler à plein temps pour joindre les deux bouts.

Au bout du compte, combien ça coûte ?

À combien peuvent s'élever tous ces types de dépenses ? Cela varie beaucoup, car cela dépend aussi du type d'études que vous faites (comporte-t-il l'achat de matériel coûteux ?) et de votre train de vie. À Montréal, on estime que le coût minimal de la vie est d'environ à 14 000 $ par année. Pour cela, il faut s'astreindre à une certaine discipline financière et trouver des façons de réduire les frais comme vivre en colocation ou dans un appartement dont le loyer n'est pas trop élevé.

Les dépenses fixes

Au rayon des dépenses fixes à l'échelle mensuelle, voici quelques chiffres qui vous donneront une idée du montant auquel peuvent s'élever vos dépenses.

Le **loyer** d'un appartement de 3½ pièces peut varier de 350 à 650 $ par mois (donc de 4200 à 7800 $ par année).

Les dépenses en **électricité, chauffage et eau chaude** peuvent varier de 50 à 70 $ par mois, selon vos habitudes et la capacité de rétention de chaleur du logement que vous occupez (pour un montant de 600 à 840 $ par année).

Les frais d'un **téléphone résidentiel** (fixe) sont autour de 35 $ par mois (donc 420 $ par année et plus, si vous ajoutez d'autres fonctions comme l'afficheur et le service de messagerie à distance). Des frais ponctuels peuvent aussi s'ajouter pour les appels interurbains.

Les frais d'un **téléphone mobile** (ou téléphone cellulaire) peuvent aller de 40 à 70 $ par mois, soit de 480 à 840 $ par année. Le service **Internet haute vitesse** coûte de 35 à 55 $ par mois (donc de 420 à 660 $ par année). Enfin, un service de **télévision HD de base** est de 45 à 60 $ par mois, selon le fournisseur, donc de 540 à 720 $ par année.

Demandez-vous de quels services vous aurez besoin. Devrez-vous les prendre à la carte ? La plupart des fournisseurs offrent des forfaits combinés qui permettent de réaliser certaines économies. Voici ce qu'il en coûte par mois chez deux fournisseurs :

>> Forfait téléphone résidentiel + Internet : environ 40 $

>> Forfait téléphone résidentiel + télévision : environ 45 $

>> Forfait Internet + téléphone mobile : environ 55 $

>> Forfait téléphone résidentiel et téléphone mobile + télévision + Internet : environ 85 $

Enfin, dernier élément (mais non le moindre) de cette liste de dépenses fixes, il sera fort recommandé (et parfois obligatoire dans le bail que vous signerez) de vous procurer une **police d'assurance habitation**, comprenant une **clause de responsabilité civile**. Cette police ne vous aidera pas seulement à remplacer vos biens si vous les perdez dans un sinistre (vol, incendie, inondation, etc.). Elle couvrira aussi les frais de dédommagement qui pourraient vous être imputés si, à la suite d'un accident, vous étiez tenu personnellement responsable d'un sinistre, comme un dégât d'eau ou un incendie. Le prix de ce genre de police : environ 30 à 50 $ par mois (360 à 600 $ par an).

Les dépenses liées au déménagement

Le déménagement (se transporter et transporter ses biens d'une adresse à une autre) et l'emménagement en appart (s'équiper, s'installer, décorer) constituent en eux-mêmes un « projet financier » qui se budgète à la mesure de vos moyens et de vos besoins, ainsi que selon les services auxquels vous aurez recours pour déménager. La somme de ces dépenses particulières fait en sorte que le premier mois de vie indépendante est habituellement le plus coûteux.

Transport et déménageurs

Le moment de l'année où vous déménagerez aura un impact important sur vos finances. La tendance de la majorité des Québecois à déménager autour du 1er juillet modifie considérablement l'échelle des prix qui sont offerts pour la location de camions ou les services d'une équipe de déménageurs pendant la haute saison.

>> Par exemple, la **location d'un camion** le 1er juillet (taxes et assurances comprises) peut coûter 250 $ pour 7 heures, alors qu'au mois d'août, le même camion pourrait être loué 24 heures pour environ 100 $;

>> De même, **recourir aux services de déménageurs professionnels** (soit une équipe de 2 ou 3 personnes, en plus du camion) autour du 1er juillet pourra vous coûter de 150 à 200 $ de l'heure (parfois plus), pour une période de 3 à 4 heures. En revanche, une équipe de 2 ou 3 déménageurs professionnels (plus le camion) en saison calme devrait plutôt vous coûter de 75 à 100 $ de l'heure.

Frais de branchement et d'activation

Avant d'être branché chez soi, il faut « se brancher » : cela, en soi, entraîne des frais. C'est pourquoi la première facture que vous recevrez de vos principaux fournisseurs de services comprendra des frais supplémentaires liés à l'ouverture de votre compte, certains frais d'installation et d'activation, etc., des frais qui vous sont imposés chaque fois que vous changez d'adresse. Ainsi, attendez-vous à voir votre première facture de service gonflée par ces sommes :

>> Hydro-Québec : 50 $

>> Bell, frais de déménagement, téléphone fixe : 30 $

>> Internet, installation et activation : de 40 à 100 $ selon le forfait et le fournisseur

>> Télévision : 50 $

>> Achat d'un modem, d'un décodeur : jusqu'à 100 $

>> Câble : de 50 à 100 $, selon le forfait et le fournisseur

Équipement et électroménagers

Les appartements offerts en location offrent plusieurs options en ce qui concerne l'ameublement et les électroménagers fournis par le propriétaire. Les appartements dits « meublés » comportent cuisinière, frigo et d'autres meubles (canapé, lit, commodes). Les « semi-meublés » fournissent les électros de base que sont la cuisinière et le réfrigérateur. Mais l'offre et la variété des appartements est plus vaste sur le terrain des non meublés, où aucun meuble ni appareil électroménager n'est fourni. C'est alors à vous de prévoir vous procurer vous-même ces appareils et ces meubles de base.

Naturellement, si un membre de la famille ou un proche vous donne une cuisinière, un réfrigérateur ou tout autre meuble dont il chercherait à se défaire, c'est de loin la solution la plus économique. Vous obtiendrez ces appareils gratuitement ou pour presque rien. Mais si une enquête auprès de vos proches ne parvient pas à combler tous vos besoins, il faudra songer à acheter des articles d'occasion. Certains annonceurs particuliers sont même disposés à donner de leurs meubles pourvu que vous vous occupiez de les transporter. Dans ce cas, restez prudents concernant les lits, sofas, chaises et autres meubles où le tissu joue un rôle, car des punaises de lit pourraient les avoir contaminés. Pour la même raison, ne ramassez pas de meubles abandonnés dans la rue. On ne sait jamais quelles raisons ont poussé leurs propriétaires à s'en débarasser.

Enfin, si les meubles tels que les tables, les chaises ou les commodes peuvent être acquis de particuliers sans problème, il est préférable de se procurer les appareils électroménagers (four, réfrigérateur et autres articles de technologie) auprès d'un fournisseur digne de confiance. Ce dernier proposera des appareils remis à neuf accompagnés d'une garantie d'un an (pièces et main-d'œuvre), ce qui est très pratique en cas de bris ou de défectuosité. De plus, il n'est pas rare qu'un fournisseur offre un service de livraison gratuite à domicile.

Voici combien peuvent coûter certains électroménagers courants[1] :

>> **Four/cuisinière**. D'occasion : 150 $; neuf : 500 $

>> **Réfrigérateur**. D'occasion : 250 $; neuf : 600 $

>> **Laveuse**. D'occasion : 150 $; neuve : 400 $

>> **Sécheuse**. D'occasion : 250 $; neuve : 400 $

Pour l'ameublement, voici ce que peuvent coûter :

>> **Canapé-lit**. D'occasion : 150 $; neuf : 400 $

>> **Lit double**. Neuf ou d'occasion : de 250 $ à 500 $

>> **Étagère**. D'occasion : 25 $; neuve : 100 $

>> **Bureau**. D'occasion : 50 $; neuf : 275 $

>> **Ensemble table et 4 chaises**. D'occasion : 50 $; neuf : 200 $

>> **Canapé**. D'occasion : 50 $; neuf : 200 $

Et pour d'autres appareils électriques :

>> **Télévision**. D'occasion : 20 $ (format « boîte ») ; neuve : 300 $

>> **Four micro-ondes**. D'occasion : 45 $; neuf : 75 $

---

1. Évidemment, nous avons tâché, dans ces listes, de nous en tenir à des choix réalistes et économiques à la fois, car il n'y a pas de limite à ce que peuvent coûter des appareils électroménagers haut de gamme : aspirateurs à 600 $, réfrigérateurs et cuisinières à 1500 $, et ainsi de suite.

>> **Grille-pain**. D'occasion : 10 $; neuf : 30 $

>> **Fer à repasser (avec planche)**. D'occasion : 25 $; neuf : 90 $

>> **Aspirateur**. D'occasion : 20 $; neuf : 60 $

La liste, bien sûr, peut s'allonger selon vos besoins et selon l'offre, qui est grande, d'appareils destinés à vous faciliter certaines tâches : robot culinaire et mélangeur, mélangeur à main, mijoteuse, cocotte-minute, etc., (il sera question de certains d'entre eux dans des chapitres ultérieurs).

Pour l'instant, n'oubliez pas qu'il sera essentiel que vous équipiez aussi votre cuisine de petits appareils de base et de vaisselle pour cuisiner et pour manger : faute de diverses choses que vous pourrez obtenir de votre entourage, des magasins à grande surface vendent des ensembles de **batterie de cuisine** (comprenant sauteuse, faitout, chaudrons, poêle à frire) à partir de 100 $, ainsi que des **services de vaisselle** à partir de 30 $.

Des infos manquent ? C'est normal...

Cela vous donne-t-il le vertige ? Cette liste n'est pourtant pas conçue pour vous intimider, mais pour vous aider à saisir les coûts que pourraient entraîner votre projet. Peut-être que rien n'est fixé encore : il est normal qu'en vous prenant d'avance pour faire une première fois ces estimations – entre novembre et février serait l'idéal –, vous trouviez que des informations importantes manquent à l'appel. N'hésitez pas à vous préparer quand même : un budget se révise régulièrement et quand, en avril, vous recevrez vos avis d'admission dans les cégeps de votre choix, vous serez assurément contents d'avoir commencé vos estimations. Le temps passe vite et quand vous apprendrez que vous avez été accepté quelque part, vous devrez déjà (ce sera le sujet de notre prochain chapitre) réviser votre budget *tout en vous cherchant un appartement*. Beaucoup de choses à penser !

Pour le moment, retenez que c'est le premier mois qui coûte le plus cher et que s'équiper et déménager entraîne des frais. Une enquête récente menée par une équipe de télévision (dont la liste précédente s'inspire, en partie) concluait, par exemple, que les dépenses du premier mois en appartement pouvaient coûter environ 3000 $[2]. C'est pourquoi il vaut mieux vous projeter de façon réaliste dans cette situation nouvelle et vous faire d'avance une idée de ce dont vous aurez besoin. *De quoi aurez-vous besoin* ? N'oubliez pas cette question et n'hésitez pas à diriger votre radar vers ces appareils et ces meubles dont votre famille et vos proches voudraient se débarasser… Tout en tâchant d'estimer à combien s'élèveront, en appartement, vos *dépenses variables*.

---

2. http://legitimedepense.telequebec.tv/occurrence.aspx ?id=323

Les dépenses variables

Avant de se trouver en appartement, confronté à ses dépenses quotidiennes de loisir et de subsistance, il est plus difficile d'évaluer à combien s'élèvera le montant consacré aux dépenses variables d'un budget, d'autant plus qu'elles se transforment beaucoup lorsqu'on passe d'un régime dominé par les dépenses de loisir (souvent le cas de ceux qui habitent chez leurs parents) à un régime dominé par les dépenses de subsistance (comme la nourriture, les soins personnels et l'entretien).

Chose certaine, on estime (et vous pouvez déjà vous y fier) que **les dépenses qu'un individu consacre à son épicerie coûtent de 50 à 70 $ par semaine** (de 200 à 300 $ par mois), mais que votre toute première épicerie – où vous devrez vous constituer un fonds de denrées de base, comme la farine, certains produits nettoyants, des épices, etc. – sera plus chère que les autres et pourra coûter plus de 150 $.

Le reste dépendra en grande partie de votre train de vie. Fumez-vous ? Possédez-vous une voiture ? Y a-t-il certains produits que vous ne pouvez vous empêcher d'acheter ?

Comment estimer les dépenses variables ?

Nous avons imaginé un moyen pour vous permettre d'évaluer, avant d'avoir quitté la maison familiale, à quoi pourraient ressembler vos dépenses variables d'étudiant autonome pendant un mois. Le principe est simple, mais peut-être un peu difficile à mettre en application : *vivre en adulte autonome pendant un mois…* avant d'avoir quitté ses parents.

Voici comment vous pouvez vous y prendre :

>> Vous fixez d'avance la date à laquelle cette période commencera.

>> Vous avisez d'avance vos parents et vos proches de ce que vous avez l'intention de faire : vivre en adulte autonome pendant un mois en leur présence. (Car vous voulez vous entraîner à la vie en appartement et savoir à quoi ressemble ce train de vie avant de vous lancer).

Ensuite, à partir de la date fixée :

>> Vous faites votre propre épicerie

>> Vous préparez vous-mêmes vos repas (que vous pourrez partager avec vos colocs, pardon, vos parents, que votre démarche rebutera peut-être moins à partir de ce moment)

>> Vous tâchez d'assumer vous-même le *maximum de dépenses quoti-diennes possibles*. Par exemple :

○ Si les réserves de nourriture du chat ou du chien de la maison touchent à leur fin, vous en achetez (d'autant plus si vous avez l'intention d'avoir un animal domestique).

○ Si un produit nettoyant ou du savon viennent à manquer à la maison au cours de ce mois, vous les remplacez, à vos frais.

○ Au besoin, vous renouvelez à vos frais votre propre matériel scolaire, achetez vos produits de soins personnels, payez votre nourriture, vos lunchs et vos repas pris à l'extérieur.

○ Vous vous occupez de votre lessive – et vous inscrivez dans vos dépenses un montant symbolique de 3 $ (estimation moyenne d'un lavage et d'un séchage à la buanderie).

>> Comme d'habitude, vous notez toutes ces dépenses dans votre *Grille de calcul des revenus et des dépenses hebdomadaires*.

>> Un dernier point, et non le moindre : bien que vous fassiez « comptes à part », tâchez de vous rendre serviable. Participez aux tâches de la maison et soyez proactif. C'est le moment idéal pour observer et aider vos parents au quotidien et pour apprendre quelques trucs…

Cela dit, l'entraînement ludique qui vous est proposé ici a été conçu pour vous permettre d'estimer quelles seront vos dépenses mensuelles variables en situation d'autonomie (et quel genre de tâches vous devrez accomplir pour avoir un quotidien vivable). Une autre façon de faire serait de vous entretenir avec vos parents pour savoir combien vous leur coûtez : vous devriez convenir d'avance, pour qu'ils s'y préparent, d'un moment où ils vous diront en détail ce que vous leur avez coûté au cours d'une semaine ou d'un mois récent. Vous inscrirez ensuite ces montants dans vos grilles de calcul (sans oublier d'y ajouter vos propres dépenses) pour obtenir un portrait des dépenses variables que vous représentez actuellement.

De plus, ce petit tête-à-tête devrait vous permettre de briser la glace entre vous et vos parents sur les questions d'argent et de préparer le terrain aux discussions qui vont suivre, car vivre en appartement et étudier se fait rarement sans la contribution financière des parents. (Voir la section « La contribution financière des parents », p. 55.)

La Grille mensuelle des dépenses variables

Enfin, vous avez colligé, en vous prêtant à notre petit jeu ou en discutant avec vos parents, le maximum d'informations sur les dépenses variables que vous entraînez, et vous les avez dûment transcrites dans votre cahier de grilles de calcul ! C'est parfait… Nous allons maintenant vous présenter un autre outil budgétaire qui vous sera très utile : la **Grille mensuelle des dépenses variables** (voir page 41).

Un budget bien tenu ressemble à un oignon, vous vous souvenez ? La **Grille mensuelle des dépenses variables** est le complément indispensable du relevé quotidien de vos dépenses, et telle qu'elle vous est présentée ici, elle est déjà bien adaptée à la tenue des comptes de l'étudiant et de l'adulte autonome que vous vous préparez à devenir. C'est un outil précieux, et vous verrez bientôt comment cette grille forme un tout avec le calcul de vos revenus mensuels et celui de vos dépenses fixes. C'est pourquoi, même si vos dépenses variables changeront quand vous déménagerez, nous vous encourageons à la remplir dès maintenant avec les résultats de votre enquête. Vous trouverez au bas de la grille des éclaircissements sur chacune des entrées qu'elle propose. N'hésitez pas à ajouter vos entrées : ce modèle de grille devrait vous servir pendant très, très longtemps.

Description des catégories

Épicerie : Frais d'épicerie et de dépanneur, bref tous les frais relatifs aux aliments que vous ramenez chez vous pour consommation personnelle.

Repas à l'extérieur : Restaurants, repas achetés sur le pouce, cafétérias, repas livrés à domicile (livraison de pizza, par exemple).

Voiture : Frais d'essence et d'entretien liés à la voiture, place de stationnement, etc.

Autres transports : Frais de transport en commun, entretien ou achat de vélo, frais de taxi, etc.

Loisirs : Sorties en général, cinéma, livres, CD et albums téléchargés, concerts, sports, etc.

Entretien du logement : Produits de nettoyage, menues réparations, pièces de remplacement, etc.

Vêtements : Catégorie apparentée à l'achat, à l'entretien et au nettoyage des vêtements neufs ou d'occasion, réparations, lessive (buanderie), nettoyeur, etc.

Soins de santé : Optométriste, dentiste, médicaments et pharmacie, contraceptifs et autres dépenses ponctuelles.

Esthétique : Maquillage, coiffure, etc.

Animal domestique : Alimentation et litière, frais de vétérinaire, accessoires, etc.

Cadeaux : Tout ce que vous offrez.

Bureau : Papier, crayons et autre outil de travail ; équipement informatique, cartouches d'imprimante, etc.

Cartes de crédit : Inscrivez ici le montant de remboursement de votre marge de crédit, s'il y a lieu. (Certaines grilles budgétaires classent les remboursements de cartes de crédit dans les dépenses fixes, mais nous préférons les classer dans les dépenses variables, compte tenu de la variabilité des remboursements mensuels).

Frais et fournitures scolaires : Frais d'inscription, frais afférents, matériel scolaire (livres, outils, instruments de musique, etc.).

Rangées vides/Autres : Définissez et ajoutez vos propres catégories, au besoin. (Par exemple, les frais de transaction bancaire lorsque vous avez dépassé votre limite de retraits gratuits ou que vous retirez d'un distributeur où vous devez payer des frais, les articles de fumeur, etc.)

Grille mensuelle des dépenses variables

Mois : du _____ au _____	Semaine 1	Semaine 2	Semaine 3	Semaine 4	Semaine 5	Total
Épicerie						
Repas à l'extérieur						
Voiture						
Autres transports						
Loisirs						
Logement : entretien						
Vêtements						
Soins de santé						
Esthétique						
Animal domestique						
Cadeaux						
Bureau						
Cartes de crédit						
Frais et fournitures scolaires						
SOUS-TOTAL						

Grille mensuelle des dépenses variables

Mois: du _____ au _____	Semaine 1	Semaine 2	Semaine 3	Semaine 4	Semaine 5	Total
Épicerie						
Repas à l'extérieur						
Voiture						
Autres transports						
Loisirs						
Logement: entretien						
Vêtements						
Soins de santé						
Esthétique						
Animal domestique						
Cadeaux						
Bureau						
Cartes de crédit						
Frais et fournitures scolaires						
SOUS-TOTAL						

Grille mensuelle des dépenses variables

Mois : du ___ au ___	Semaine 1	Semaine 2	Semaine 3	Semaine 4	Semaine 5	Total
Épicerie						
Repas à l'extérieur						
Voiture						
Autres transports						
Loisirs						
Logement : entretien						
Vêtements						
Soins de santé						
Esthétique						
Animal domestique						
Cadeaux						
Bureau						
Cartes de crédit						
Frais et fournitures scolaires						
SOUS-TOTAL						

Grille mensuelle des dépenses variables

Mois : du ____ au ____	Semaine 1	Semaine 2	Semaine 3	Semaine 4	Semaine 5	Total
Épicerie						
Repas à l'extérieur						
Voiture						
Autres transports						
Loisirs						
Logement : entretien						
Vêtements						
Soins de santé						
Esthétique						
Animal domestique						
Cadeaux						
Bureau						
Cartes de crédit						
Frais et fournitures scolaires						
SOUS-TOTAL						

Grille mensuelle des dépenses variables

Mois: du ___ au ___	Semaine 1	Semaine 2	Semaine 3	Semaine 4	Semaine 5	Total
Épicerie						
Repas à l'extérieur						
Voiture						
Autres transports						
Loisirs						
Logement: entretien						
Vêtements						
Soins de santé						
Esthétique						
Animal domestique						
Cadeaux						
Bureau						
Cartes de crédit						
Frais et fournitures scolaires						
SOUS-TOTAL						

Grille mensuelle des dépenses variables

Mois: du ___ au ___	Semaine 1	Semaine 2	Semaine 3	Semaine 4	Semaine 5	Total
Épicerie						
Repas à l'extérieur						
Voiture						
Autres transports						
Loisirs						
Logement : entretien						
Vêtements						
Soins de santé						
Esthétique						
Animal domestique						
Cadeaux						
Bureau						
Cartes de crédit						
Frais et fournitures scolaires						

SOUS-TOTAL

Grille mensuelle des dépenses variables

Mois : du _____ au _____	Semaine 1	Semaine 2	Semaine 3	Semaine 4	Semaine 5	Total
Épicerie						
Repas à l'extérieur						
Voiture						
Autres transports						
Loisirs						
Logement : entretien						
Vêtements						
Soins de santé						
Esthétique						
Animal domestique						
Cadeaux						
Bureau						
Cartes de crédit						
Frais et fournitures scolaires						
SOUS-TOTAL						

Grille mensuelle des dépenses variables

Mois : du _____ au _____	Semaine 1	Semaine 2	Semaine 3	Semaine 4	Semaine 5	Total
Épicerie						
Repas à l'extérieur						
Voiture						
Autres transports						
Loisirs						
Logement : entretien						
Vêtements						
Soins de santé						
Esthétique						
Animal domestique						
Cadeaux						
Bureau						
Cartes de crédit						
Frais et fournitures scolaires						
SOUS-TOTAL						

Grille mensuelle des dépenses variables

Mois : du _____ au _____	Semaine 1	Semaine 2	Semaine 3	Semaine 4	Semaine 5	Total
Épicerie						
Repas à l'extérieur						
Voiture						
Autres transports						
Loisirs						
Logement : entretien						
Vêtements						
Soins de santé						
Esthétique						
Animal domestique						
Cadeaux						
Bureau						
Cartes de crédit						
Frais et fournitures scolaires						
SOUS-TOTAL						

Grille mensuelle des dépenses variables

Mois: du ____ au ____	Semaine 1	Semaine 2	Semaine 3	Semaine 4	Semaine 5	Total
Épicerie						
Repas à l'extérieur						
Voiture						
Autres transports						
Loisirs						
Logement: entretien						
Vêtements						
Soins de santé						
Esthétique						
Animal domestique						
Cadeaux						
Bureau						
Cartes de crédit						
Frais et fournitures scolaires						

SOUS-TOTAL

Grille mensuelle des dépenses variables

Mois : du _____ au _____	Semaine 1	Semaine 2	Semaine 3	Semaine 4	Semaine 5	Total
Épicerie						
Repas à l'extérieur						
Voiture						
Autres transports						
Loisirs						
Logement : entretien						
Vêtements						
Soins de santé						
Esthétique						
Animal domestique						
Cadeaux						
Bureau						
Cartes de crédit						
Frais et fournitures scolaires						
SOUS-TOTAL						

Grille mensuelle des dépenses variables

Mois : du _____ au _____	Semaine 1	Semaine 2	Semaine 3	Semaine 4	Semaine 5	Total
Épicerie						
Repas à l'extérieur						
Voiture						
Autres transports						
Loisirs						
Logement : entretien						
Vêtements						
Soins de santé						
Esthétique						
Animal domestique						
Cadeaux						
Bureau						
Cartes de crédit						
Frais et fournitures scolaires						

SOUS-TOTAL

Quelques pistes de réflexion pour planifier vos sources de revenu

Nous nous apprêtons à conclure ce premier cours en Gestion de budget 101.

Tout au long de ce livre, la question budgétaire est appelée à revenir de manière récurrente. Nous vous proposerons de nouvelles grilles et nous tâcherons d'en illustrer le fonctionnement à l'aide d'exemples concrets.

Mais à ce stade préliminaire, il nous reste encore à vous parler de l'importance de planifier la somme et vos sources de revenu. En effet, votre exercice d'introspection ne doit pas s'arrêter à l'estimation de vos dépenses, mais à ce que vous gagnez ou à ce que vous gagnerez. Vous devez à la fois faire un premier bilan financier et faire quelques projections.

De quoi disposez-vous déjà ?

D'un compte en banque variablement garni, cela va de soi. Vous devriez déjà inscrire comme faisant partie de votre actif financier actuel, le montant d'économies dont vous disposez. Vous reste-t-il quelque chose des revenus de votre emploi d'été ? Vous constituez-vous déjà un fonds à partir de vos revenus d'emploi ?

Projection de ses futurs revenus d'emploi

Vous lisez ces lignes en janvier, vous avez un emploi qui vous rapporte environ 150 $ par semaine (pour une quinzaine d'heures par semaine), et vous projetez tenir ce rythme jusqu'à la fin avril : environ une quinzaine de semaines. Vous avez donc devant vous un potentiel d'économies qui représente 2250 $, mais vous commencez à connaître la somme de vos dépenses hebdomadaires. Multipliez-en la moyenne par 15 et retirez-en la somme de ces 2250 $ projetés. Mieux encore : fixez-vous un montant hebdomadaire de dépenses à ne pas dépasser, et faites la même opération. Supposons, par exemple, que vous vous fixez un montant de dépenses de 40 $ à ne pas dépasser par semaine. Voici le résultat du calcul :

$$40 \times 15 : 600\,\$$$

$$2250 - 600 : 1650\,\$$$

Par la suite, additionnez les 1650 $ prévus à vos économies. En supposant, par exemple, que Vincent dispose de 3000 $ d'économies en janvier (il a reçu des cadeaux à Noël…), il peut s'attendre à ce que son compte en banque affiche la somme de 4650 $ à la fin du mois d'avril. Il pourra alors honorer les dépenses extraordinaires de son premier mois en appartement dès juillet, s'il déménage en juillet (et il devrait lui rester au moins 1650 $).

Mon futur emploi d'été

Deux scénarios simplifiés se présentent : vous déménagez en juillet et les revenus de votre travail d'été sont déjà grugés par vos dépenses fixes (loyer, téléphone et autres). Ou vous restez chez vos parents pour l'été, ce qui vous permet d'augmenter vos économies, en choisissant de déménager avant le début de la session. La plupart des déménagements se font en juillet, mais il est possible de se trouver un logement ou des colocs au cours de l'année : nous reparlerons de ce scénario à ne pas exclure. Ces variables ne rendent pas facile la tâche de prévoir les épargnes que vous pourrez faire sur votre prochain emploi d'été. Adonnons-nous donc à une estimation prudente : 9 semaines de travail d'été (juillet et août), à 35 heures par semaine et 10 $ l'heure, donnent une somme brute d'environ :

$$(9 \times 35) \times 10\,\$ = 3150\,\$$$

Combien comptez-vous garder ? Aurez-vous un emploi à pourboire ou dont le salaire sera plus élevé que le taux minimum ? Vos parents auront-ils commencé à vous aider ? (Sans doute que oui…) Malgré ces variables, vous pouvez déjà vous fixer une somme à épargner (que vous pourrez réajuster ensuite selon la réalité de votre situation). Par exemple : de 1000 à 1500 $ si vous déménagez en juillet, 2000 $ et plus si vous déménagez plus tard. Ajoutez votre estimation à la liste. Il faut maintenant prévoir ce qui se passera en cours de session sur le plan financier.

Les revenus d'un emploi étudiant

Septembre commence, la session est en cours depuis une semaine. Votre horaire de travail doit ralentir. Nous l'avons déjà mentionné : travailler (c'est-à-dire occuper un emploi salarié) plus de 15 heures par semaine peut nuire aux résultats scolaires. Cela dit, au taux horaire de 10 $ l'heure, travailler 15 heures par semaine pendant 15 semaines (soit la durée moyenne d'une session), vous procurera un revenu net (avant impôts) de 2250 $ (soit environ 645 $ par mois), pour la session d'automne. Vous voudrez peut-être travailler moins (15 heures de travail par semaine est un seuil maximum, toujours pour le bien de vos performances scolaires), ou ne pas travailler du tout dans un emploi alimentaire : c'est à vous de voir si ces choix sont possibles. Autrement, ces 645 $ par mois peuvent être appréciables pour vos finances et peuvent être un bon complément à l'aide gouvernementale et à l'aide parentale.

La contribution financière des parents

Vos parents vous ont dit de bonne foi qu'ils contribueraient à votre subsistance et au paiement de vos études et des frais qu'elles entraînent quand vous quitteriez le foyer familial. En retour, vous leur avez promis et surtout *vous vous êtes promis* de donner votre 120 % à vos études. Vous les finirez à temps, vous fréquenterez tous vos cours et vous vous débrouillerez de votre mieux pour décrocher des notes qui seront du tonnerre.

Tout cela est formidable. Votre motivation est à la hauteur du souci qu'ont vos parents de vous aider. Mais s'ils se révèlent plus rébarbatifs à l'idée de vous aider alors qu'ils en ont les moyens, vous devez savoir que la contribution financière des parents ne relève pas seulement de leur bonne volonté, mais aussi de la loi. En effet, selon le *Code civil du Québec*, les parents sont légalement tenus de contribuer au financement des études de leur enfant et à ses frais de subsistance jusqu'à ce qu'il « ait atteint sa pleine autonomie ». Cette pleine autonomie ne s'atteint pas automatiquement quand on a franchi le seuil de ses 18 ans.

Aussi, l'heure sera sans doute bientôt venue pour vous d'avoir une discussion avec vos parents sur le thème délicat de l'aide financière. Cette discussion est souvent inévitable, ne serait-ce que parce que le calcul du montant alloué par le gouvernement dans son programme de prêts et bourses est en partie déterminé par le calcul des revenus de vos parents. Non seulement vous devrez leur parler d'argent, mais vous devrez leur demander des chiffres !

Cela dit, il n'y a pas de raison de redouter ce tête-à-tête. Tâchez seulement d'être le mieux préparé possible. Avec les conseils et les informations que nous vous avons donnés dans ce livre, vous aurez pu faire un premier calcul de ce dont vous aurez besoin. Profitez donc de l'occasion pour prouver à vos parents que vous vous souciez d'être à votre affaire. Ils seront peut-être agréablement surpris et, du coup, plus détendus pour la suite. Et qui sait, ce sera peut-être le début d'un rapport nouveau et particulièrement valorisant avec vos parents : un rapport où vous serez davantage d'égal à égal avec eux, où votre maturité et votre autonomie feront déjà leurs preuves. Ils vous verront, de plus en plus, comme un adulte.

L'aide financière aux études – les prêts et bourses

À moins que vous ne subveniez, ou que vos parents ne subviennent, entièrement à vos besoins pendant vos études, les chances que vous vous adressiez au programme de prêts et bourses du gouvernement du Québec sont élevées.

Nous ne vous donnerons pas une explication détaillée de la façon dont ces calculs sont faits, et qui tâchent de s'adapter à une foule de situations particulières, mais sachez que la page Web du ministère de l'Éducation, du Loisir et du Sport comprend un simulateur de calcul[3] qui vous permettra de connaître à titre indicatif le montant d'aide financière auquel vous aurez droit. Employer le simulateur de calcul ne constitue pas seulement un bon entraînement au remplissage du formulaire de demande d'aide financière en ligne. Ce simulateur vous indiquera aussi à quel montant devraient s'élever vos « dépenses admises » par le programme, c'est-à-dire l'ensemble de vos dépenses fixes et de vos dépenses variables au cours des mois d'une session donnée. Ensuite, le simulateur déterminera la part qui sera allouée par le programme de prêts et bourses, et la part qui devra être assumée par vos parents.

Par exemple, un étudiant déclare des revenus d'emploi (d'été) de 3000 $ et ne déclare pas d'autres revenus personnels (il n'en a pas). Le simulateur lui demandera ensuite d'inscrire le montant des revenus de ses parents pour la dernière année : l'étudiant inscrit 50 000 $. Après avoir évalué les données, le simulateur en déduit que, de septembre à octobre, les parents contribueront aux études de leur fils à raison de 350 $ par mois et que le gouvernement y contribuera à raison de 428 $ par mois, à l'exception des mois de la rentrée où le montant est plus important (pour payer les fournitures scolaires et les frais d'admission) : soit 598 $ en septembre et 604 $ en janvier. Qu'en conclure ?

Les revenus parentaux de l'étudiant et les revenus de ce dernier auraient pu être différents, mais d'une manière générale, l'actuel programme d'aide financière aux études **estime que 954 $ pour le premier mois de la session** (le plus coûteux, en raison des frais d'inscription et des fournitures scolaires) **et 778 $ les mois suivants seront suffisants pour que l'étudiant puisse vivre**.

Austère, vous avez dit ? Certainement. Par exemple, il est difficile de trouver un loyer (même partagé) à 200 $ et moins (si l'on considère que le loyer ne devrait pas absorber plus de 25 à 30 % des revenus d'une personne). Le programme des prêts et bourses comprend aussi des aides ponctuelles qui pourront vous être utiles (tels des fonds supplémentaires pour l'achat d'un

---

3. www.afe.gouv.qc.ca/fr/logicielCalcul/simulateur.asp

ordinateur). Mais sans doute est-il plus prudent pour vous de considérer ceux-ci comme un revenu d'appoint – d'autant plus que vous devrez éventuellement rembourser de vos poches une partie de cette somme.

*

Enfin, nous aborderons bientôt une autre étape : celle où, tout en précisant et en ajustant vos prévisions budgétaires, vous commencerez à chercher un appartement ! Nous situons cet élément déclencheur en avril, moment où vous recevez les réponses des cégeps où vous avez fait une demande d'admission. Une chose est sûre, c'est que dès ce moment, vous devrez clarifier vos besoins et entreprendre les démarches nécessaires pour trouver votre premier appartement. Les conseils et les informations de la section suivante devraient vous aider à faire un choix éclairé sur une foule de sujets pertinents – sans compter la question du budget.

De fait, nous ne pouvions vous laisser sans terminer cette section en vous présentant une dernière grille, la **Grille prévisionnelle de mes ressources financières**, où vous pourrez déjà estimer quels seront vos revenus pour les prochains mois. N'hésitez pas à la réviser quand la réalité confirmera – ou infirmera – vos prévisions.

Grille prévisionnelle des ressources financières

Économies
Revenus d'emploi, de maintenant à juillet (projetés)
Revenus d'emploi d'été (projetés)
Revenus d'emploi étudiant, session d'automne (projetés)
Prêts et bourses, session d'automne
Contribution familiale
Autres (préciser)
Total projeté

Chapitre 2
Devenir locataire
De 3 à 1 mois avant le déménagement

Zoom sur...

Pierre se souvenait de son premier appartement : un 3½ semi-meublé – four et frigo fournis – qu'ils avaient loué d'une entreprise, lui et Alex, son frère, pendant un an. Vide, le logement leur avait fait une assez bonne première impression : planchers de bois francs vernis, murs blancs, propre et fonctionnel. À 12 minutes de marche de leur collège.

Ce n'est qu'une fois qu'ils ont été installés que les inconvénients se sont manifestés. On entendait les voisins de droite se disputer sans arrêt. Les voisins de gauche étaient sympathiques, mais leur bébé pleurait constamment. Ils ont vite découvert les joies d'être pris en sandwich entre des murs mal insonorisés. La voisine d'en bas s'est plaint à son tour du volume de la musique. Le matin, on entendait dehors l'activité du court de basketball voisin : bump, bump, bump, oooh, Man !

Comme la lumière éblouissait la chambre de Pierre le matin, sa mère avait acheté des stores verticaux pour la fenêtre. Complètement blancs. Et la lumière a continué d'éclairer sa chambre le matin comme avant.

Quand l'hiver est arrivé, on a constaté que les fenêtres n'étaient formées que de plaques de vitre coulissantes. Le vent ainsi qu'un peu de neige s'infiltraient à l'intérieur. Pour compenser, l'entreprise avait monté le chauffage central, mais les fenêtres ont dû être remplacées.

Les disputes entre les deux frères n'étaient ni plus fréquentes ni plus intenses qu'à la maison, mais les discussions, elles, s'approfondissaient. C'était un plus.

Pierre se souvient du soir où il a découvert un cafard sur une plinthe.

Cela faisait plusieurs semaines qu'il était là. Une petite saleté à couleur de sirop d'érable qui a déguerpi quand il a tenté de l'écraser. Il se voyait déjà infesté par ces indésirables. Les frères ont acheté des pièges qui sont restés vides. Un exterminateur est venu répandre de l'insecticide dans l'appartement. Pierre ne se souvient pas d'avoir vu d'autres insectes, mais le mal était fait. Il a donc convenu avec son frère qu'ils ne resteraient pas là.

En avril, une copine du cégep lui dit qu'une voisine amie de sa mère voulait louer son sous-sol.

Pendant cette deuxième année, il n'y a pas eu que des problèmes de chauffage ni de vermine. Les problèmes ont plutôt été dominés par le manque de compagnie dont souffrait sa logeuse. Le bruit a aussi persisté, mais, cette fois, une télévision toujours ouverte en était la cause. Il y avait donc une tension psychologique. Ce sont des choses qui arrivent. C'est une histoire différente.

*

Vincent

À la mi-avril, après avoir été accepté au cégep, le jeune homme s'était mis à scruter les petites annonces d'appartements à louer près du collège. Il cherchait dans les journaux et sur le Web, mais il préférait le Web, car les annonces étaient plus détaillées et il y avait des photos (même si les photos avaient tendance à faire paraître l'espace des appartements plus grand qu'il n'était en réalité).

Il cherchait un 2½ ou un 3½ tranquille et s'était fixé un maximum de 400 $ par mois. Quand il a vu que la plupart des 3½ du secteur étaient à 500 $ par mois et plus, il a révisé ses calculs à la hausse. Au début d'avril, il avait tenté d'estimer ce que seraient ses revenus et ses dépenses au cours des 9 prochains mois (du 1er avril au 31 décembre), en s'armant de ses relevés de dépenses et de revenus[4], d'une calculatrice et d'une **Grille d'estimation du budget**[5], et ne cessait d'y revenir depuis.

À son dernier calcul, ses revenus étaient de 15 100 $. Pas mal, mais il savait qu'il n'y serait pas arrivé s'il n'avait pas économisé systématiquement une part de ses revenus depuis l'année dernière (un total de 4650 $). En fait, il savait que l'argent supplémentaire qu'il gagnerait pour les 9 mois qui restaient ne dépasserait pas 6000 $. Quant aux prêts et bourses, il s'en méfiait : le montant n'était pas fixe, et il savait qu'une bonne partie de cette somme représenterait, à moyenne échéance,

une dette à rembourser : un prêt plus qu'une bourse. Certes, il ferait quand même une demande au programme d'aide financière aux études (il était admissible, ses parents n'étaient pas trop à l'aise financièrement). Mais son objectif était ne pas toucher ces sommes. Il chercherait un moyen de les les faire fructifier en les plaçant dans un compte à part, comme un REER ou un CELI[6]. L'idée devait être bonne, car les publicités, les banques et les journaux ne cessaient de conseiller d'épargner tôt dans ce genre de comptes pour faire de grosses économies et ramasser un maximum d'intérêts.

---

4. Voir p. 30.

5. Pour une grille vide à utiliser soi-même, voir p. 63.

6. Acronymes pour « Régime enregistré d'épargne-retraite » (REER) et « Compte d'épargne libre d'impôt » (CELI). Ordinairement utilisés pour constituer un capital pour la retraite à l'abri de l'impôt, ces comptes présentent des taux d'intérêts de loin plus élevés que les comptes d'épargne courants ou des comptes chèques.

Estimation du budget de Vincent
AVRIL – DÉCEMBRE (9 MOIS)

Estimation des revenus	Mois	Année
Économies disponibles (emploi d'été + emploi à temps partiel)		4650
Revenus d'emploi d'été : 350 $/sem. x 9 sem.	1575	3150
Revenus d'emploi : env. 150 $/sem. x 20 sem. (mai + session automne)	650	3000
Prêts et bourses (4 mois)		2200
Allocation familiale (350 $ x 6 mois ; juillet à décembre)	350	2100
Autres (cadeaux, etc.)	?	?
TOTAL		15 100

Dépenses fixes estimées, juillet à décembre		
Loyer	500	3000
Électricité	50	300
Forfait téléphone (fixe et mobile) + télévision + Internet	90	540
Assurance habitation	35	210
Frais bancaires	6	36
TOTAL		**4086**

Dépenses variables et autres dépenses, juillet à décembre		
Épicerie	200	1200
Repas à l'extérieur	60	360
Transport	60	360
Vêtements (achat et entretien)	Nsp	300
Entretien logement	Nsp	100
Loisirs	100	600
Paiements (cartes de crédit, emprunts et voiture lorsqu'applicable)		?
Frais afférents (1 session, montant à confirmer)		150 ?
Fournitures scolaires et informatique		?
Cadeaux		0
TOTAL		3070
TOTAL DES DÉPENSES (fixes + variables)		7156
TOTAL DES REVENUS – TOTAL DES DÉPENSES = SURPLUS BUDGÉTAIRE		7944

Son calcul l'encourageait, mais Vincent savait qu'il était encore dans le vague. Il comptait sur le fait qu'il travaillerait pendant la session, mais s'il déménageait en juillet, il aurait peut-être des difficultés à se trouver du travail, on ne sait jamais. Il avait estimé pouvoir limiter ses dépenses d'épicerie à 200 $ par mois. Et si c'était sous-évalué ? Il présumait que ses frais d'électricité – eau chaude, chauffage et le reste – ne dépasseraient pas 300 $ par année, mais il en faudrait sans doute plus : on verrait bien quand il recevrait ses premières factures. Il ne savait pas combien il dépenserait pour ses vêtements ni pour son matériel scolaire; il n'avait encore rien calculé pour ses frais de déménagement ni pour s'équiper, car il ne savait pas si l'appartement qu'il louerait comporterait des meubles et des appareils. Bref, chaque fois que Vincent regardait sa dernière estimation annuelle, il passait tous ses doutes en revue afin de s'efforcer de ne pas croire qu'il obtiendrait un surplus budgétaire de 7944 $ à la fin de l'année. C'était trop beau, trop optimiste – même s'il se disait que s'il avait un surplus, il savait ce qu'il en ferait : il en mettrait une tranche de côté pour payer ses frais de scolarité universitaires. Il n'avait surtout pas envie de finir son bac trop endetté. En attendant, ses économies lui disaient

qu'il pouvait déménager. Alors, il scruta encore les annonces et il en trouva une qui lui plaisait :

3½ sympa à louer libre 1er juill. Poêle-frigo plancher bois franc près de tous services, à 10 min. du collège idéal étudiant $ 550 rien d'inclus Contacter [...]

Fort de cette information, Vincent a fait une petite visite virtuelle de son éventuel futur quartier. Il a constaté que l'appartement était à l'intersection d'un boulevard et d'une rue d'apparence tranquille, qu'il y avait effectivement une pharmacie et une épicerie à proximité et que l'appartement se trouvait à environ 1,5 kilomètre du collège (soit à 15 minutes de marche). Une fois ces vérifications faites, il a téléphoné au propriétaire pour lui demander s'il était possible de visiter l'appartement le samedi suivant.

Une étape essentielle : la visite de l'appartement

Après le calcul du budget, après s'être fait une idée générale du genre de logement et du genre de quartier que l'on cherche, quand commence la recherche active d'informations sur les offres de location, vient l'étape de essentielle, de la visite de quelques logements et de la rencontre de leurs propriétaires (ou de leurs représentants). Vous voudrez savoir si l'appartement vous plaît, et si le propriétaire vous fait bonne impression, car il est important de mesurer aussi que l'on pourra avoir avec lui ce qui demeure une relation d'affaires parfois délicate sur le plan personnel. Habituellement, les propriétaires d'appartements dont les baux d'un an se terminent le 1er juillet commencent à afficher fin mars et début avril, car c'est le moment où la plupart des occupants de ces logements annoncent officiellement leur intention de ne pas renouveler leur bail. Dès lors, les annonces commencent à se multiplier.

Cependant, visiter un appartement exige une certaine méthode et une attention au détail qui peuvent éviter bien des soucis et des déceptions. Les conseils qui suivent devraient vous aider à prendre la bonne décision, c'est-à-dire louer l'appartement qui vous convient.

Bien se présenter

Cela peut sembler évident pour certains, mais le jour même de la visite, il faut faire bonne impression et être courtois. Certains secteurs locatifs affichent un taux d'inoccupation très bas; et plus le taux d'inoccupation est bas dans un secteur, plus le propriétaire peut se permettre de faire le tri parmi ses locataires potentiels. Si cela peut vous aider, imaginez-vous que vous vous présentez à une entrevue d'embauche, mais ne laissez pas votre souci de plaire faire obstacle à votre souci de vous informer.

Emmener quelqu'un

Si possible, présentez-vous à la visite avec une autre personne, que ce soit un ami ou un parent (qui pourra vous servir d'endosseur au moment de la signature du bail). Vous aurez alors un témoin à votre disposition quant à l'état du logement au moment de la visite, et à certains engagements pris avec le propriétaire sur les réparations et l'entretien dont il suggérera peut-être de s'occuper avant votre installation.

Prévoir du temps pour visiter le quartier

Même si vous avez un horaire chargé, lors de votre visite, prévoyez vous rendre un peu d'avance pour visiter le quartier et les environs. Le choix d'un quartier est presque aussi important que le choix d'un logement. En observant les environs, vérifiez :

>> si le quartier paraît sécuritaire. Redouteriez-vous de le fréquenter la nuit?

>> la proximité des services. Vérifiez la présence d'une épicerie ou d'un marché à proximité, d'une clinique médicale et d'une pharmacie, d'une buanderie et d'une station de transport en commun, selon vos besoins.

>> la présence de sources de bruit et l'ambiance générale. Prêtez l'oreille à l'ambiance sonore des environs et aux potentielles sources de bruit. Votre appartement est-il situé sur une avenue passante? Y a-t-il des bars à proximité? Des voisins semblent-ils portés à accompagner leurs barbecues de musique tonitruante?

Enfin, ayez toujours un carnet de notes et un crayon en main et sachez repérer les écriteaux « à louer » présents dans le voisinage. Les propriétaires n'ont pas tous recours aux petites annonces et à Internet pour louer leurs appartements. Un écriteau dans une fenêtre leur suffit parfois. Dites-vous que si le logement pour lequel vous vous êtes déplacé pour une visite ne semble pas convenir, il se peut qu'un logement voisin fasse l'affaire.

Faire sa visite le jour

Visitez l'appartement à une heure où la lumière du jour est encore présente. Si ce n'est pas possible, utilisez tout l'éclairage disponible (une occasion d'en vérifier le bon fonctionnement) pour vérifier l'état des lieux. Munissez-vous d'une lampe de poche pour inspecter les coins plus sombres, comme les garde-robes et les armoires de sol.

Penser à l'espace

Visualisez la présence de vos meubles et de vous-même dans les lieux que vous visitez. Y a-t-il assez d'espace pour vous loger? Au demeurant, demandez au propriétaire quelle est la superficie de l'appartement.

Penser à l'éclairage

Considérez les sources d'éclairage naturel et artificiel de l'appartement. Le logement semble-t-il demander l'apport d'un éclairage secondaire durant le jour? Vérifiez l'emplacement des fenêtres et leur nombre. Y a-t-il des fenêtres dans chaque pièce? Quelle est leur orientation?

L'emplacement des fenêtres et la présence d'obstacles à l'éclairage (tel le feuillage d'un arbre) sont importants à considérer. Un axe favorable à un appartement bien éclairé alignerait des fenêtres donnant vers le nord ou le sud, selon le tracé du soleil pendant la journée. Dans les appartements dont les fenêtres se situent seulement aux extrémités (s'il s'agit d'un appartement en longueur) donnant sur l'est et sur l'ouest, les pièces centrales risquent de rester dans l'obscurité.

Inspection des murs, portes, fenêtres et planchers

L'étanchéité des portes et des fenêtres sont des facteurs de sécurité et de conservation de la chaleur. Passez la main autour des portes et des fenêtres pour vérifier s'il y a des infiltrations d'air – synonymes de pertes de chaleur et d'infiltration de vent en hiver (qui gonflent la facture du chauffage). Vérifiez si les portes d'accès – porte d'entrée et porte arrière – et les fenêtres s'ouvrent et se ferment hermétiquement sans difficulté et si les serrures fonctionnent.

Soyez également attentifs à l'état de propreté générale et à l'entretien des murs : ceux-ci ont-ils besoin d'être nettoyés ? La peinture est-elle à refaire ? Vérifiez s'il y a des fissures dans les murs (pouvant elles aussi causer des infiltrations d'air), ou des trous qu'il faudra reboucher. De même, prenez soin d'observer l'état du plancher. Quel est son degré d'usure ? Comporte-t-il des égratignures ? Ces défauts ne vous dérangent peut-être pas, mais il est bon de les noter afin d'éviter que le propriétaire ne soit tenté un jour de vous reprocher d'avoir mis l'appartement dans cet état.

Cuisine et salle de bains

Inutile de dire que l'état de la cuisine et de la salle de bains est d'une extrême importance, puisque c'est là qu'on prépare sa nourriture et qu'on prend soin de son corps.

Vous inspecterez donc l'état de la robinetterie : actionnez tous les robinets et vérifiez si la pression de l'eau est satisfaisante et si l'eau chaude présente une température adéquate. Actionnez de même la chasse d'eau et la douche.

Une salle de bains se doit d'être bien aérée afin de ne pas conserver l'humidité à l'intérieur. Vérifiez si elle est munie d'une fenêtre ou d'une bouche d'aération. Soyez attentif à la propreté générale et vérifiez s'il n'y a pas présence de moisissures sur les murs et sur les joints d'étanchéité.

Dans la cuisine, vérifiez de même l'état du comptoir et de l'évier. Notez la présence d'égratignures (ou de quelque signe d'usure que ce soit) sur le comptoir. Vérifiez la pression de l'eau. Notez quels sont les espaces de rangement (garde-manger et placards) et si leur nombre est suffisant. Si l'appartement comporte des électros, tels un four et un réfrigérateur, vérifiez-en l'état de propreté et de bon fonctionnement en activant les éléments du four et de la cuisinière, sans oublier la hotte (conçue pour aspirer l'excès de fumée ou d'humidité entraînés par la cuisson).

Pour vérifier si la puissance d'aspiration de la hotte est satisfaisante, allumez-la en plaçant sur la grille une feuille de papier essuie-tout. Si la force d'aspiration la garde collée contre la grille, la hotte aspire suffisamment.

Vérifiez sur le thermomètre du réfrigérateur (ou à l'aide d'un thermomètre portatif) si le réfrigérateur présente une température interne adaptée à la conservation optimale des aliments (celle-ci devrait afficher 4 °C à la tablette du bas et se situer entre 4 et 6 °C aux tablettes centrales et supérieures). Notez aussi si la température de la partie congélateur de l'appareil se situe autour de –18 °C et si ce dernier produit du givre. Enfin, assurez-vous de l'étanchéité des portes en vérifiant qu'elles ferment hermétiquement et que les joints isolants sont propres et ne sont pas endommagés. Inspectez l'arrière du réfrigérateur afin de vous assurer que ses grilles de refroidissement et son condensateur sont propres et dans un espace dégagé.

L'hygromètre et le thermomètre portatifs : des outils pratiques pour le locataire

Souvent offerts dans le même appareil, l'hygromètre et le thermomètre numériques sont des outils pratiques à se procurer dès la visite d'un appartement. Ces petits appareils se vendent environ 10 $ et ils permettent de mesurer la température et le degré d'humidité des pièces. En hiver, les relevés d'humidité de l'hygromètre sont précieux, car ils permettent de mieux contrôler le taux d'humidité d'un logement. La chaleur se diffuse et se conserve mieux à l'air sec, tandis qu'un appartement humide est plus difficile à chauffer.

Enfin, assurez-vous d'avoir inspecté tous les tiroirs et armoires de la cuisine et promenez votre lampe de poche dans les espaces sombres. Cette inspection devrait vous aider à détecter la présence de pensionnaires indésirables dans le logement – nous pensons aux insectes, bien sûr – ou de signes (petites crottes noires, etc.) indiquant la visite de rongeurs. Est-il nécessaire de préciser qu'un seul cadavre de blatte peut être un très mauvais signe ?

Autres vérifications à faire

>> **Sortie de secours** Est-elle bien dégagée, s'ouvre-t-elle et se ferme-t-elle facilement ? En présence d'escaliers extérieurs, vérifiez-en l'état : dans le cas d'escaliers en métal, soyez particulièrement attentif à l'usure causée par la rouille.

>> **Électroménagers** Si vous possédez des électroménagers du genre laveuse-sécheuse, assurez-vous que l'appartement comporte un espace pour ces appareils, doté des prises d'alimentation (eau et électricité) adéquates.

>> **Prises électriques** Combien de prises électriques comporte chaque pièce ? Une prise unique dans une pièce, surtout si vous avez l'intention d'en faire votre bureau, ne suffira pas. Vérifiez également l'accessibilité de la boîte à fusibles, et si chacun des appareils et des endroits alimentés par celle-ci sont dûment identifiés (généralement au dos de la porte de la boîte à fusibles).

>> **Chauffage** Est-ce que toutes les pièces de l'appartement comportent une source de chaleur, calorifère électrique ou autre ? Les sources d'air chaud « centrales », comme ces vétustes appareils de chauffage au gaz, suffisent rarement à bien répartir la chaleur dans un appartement. Vérifiez aussi la présence ou l'absence d'un ou de plusieurs thermostats programmables à l'intérieur de l'appartement.

>> **Bruit** Les appartements qui datent de plus de 20 ans sont souvent mal insonorisés. Le moindre éternuement du voisin est-il susceptible de faire s'effondrer vos murs ? Dans un appartement, le bruit est l'une des principales sources d'inconfort et de conflit entre voisins. Tâchez aussi d'être attentif aux autres sources de bruit : activité à l'extérieur, sifflements de tuyauterie, etc.

D'autres moyens de vivre seul

Bien que ce livre traite surtout de la vie en appartement (seul ou avec d'autres), lorsqu'elle débute aux alentours du 1er juillet, il existe d'autres moyens de se procurer un logement (ou une chambre), en plus des baux à durée fixe d'un an qui débutent à cette date. En voici quelques-uns :

Les chambres à louer Elles sont habituellement disponibles à l'année et les baux sont de durée variable. Être chambreur signifie souvent occuper une chambre dans une habitation résidentielle ou familiale ou encore dans une maison de chambre où l'on doit partager avec d'autres chambreurs des espaces communs (salle de bains, cuisine, salle à manger). Les chambres sont généralement entièrement meublées, elles comportent un bureau, un lit, des armoires, etc. Elles peuvent être une étape intermédiaire intéressante avant votre départ en appartement si vous n'avez pas beaucoup de meubles et si vous tolérez bien la présence des autres.

Les résidences étudiantes Certaines institutions ont des résidences étudiantes, où l'on peut louer de petites chambres (d'environ 9 mètres carrés) pour 350 $ et plus par mois, et les baux sont adaptés à la durée de l'année scolaire. Ainsi, vous pouvez choisir un bail de 8 mois, débutant habituellement en septembre et finissant le 30 avril. La disposition des chambres peut varier : parfois, les locataires doivent partager des aires communes à l'étage (salle de bains, cuisine, salle à manger) ; parfois, ils louent chacun une chambre dans un appartement meublé (l'équivalent d'un 5½ ou d'un 6½) qui en comporte plusieurs. Des services comme Internet et le téléphone fixe sont souvent compris. Cependant, pour espérer obtenir une chambre en résidence étudiante, il faut s'inscrire d'avance et l'on mettra votre nom sur une liste d'attente, car le taux d'occupation des chambres est très élevé. Enfin, si la chance vous sourit, il faudra aussi entretenir de bonnes relations avec vos colocataires et fixer certaines règles de manière à ce que le genre de vie de votre entourage ne vous empêche pas d'étudier.

Se faire céder un bail ou sous-louer un appartement : Le locataire qui doit quitter son logement avant la date limite de son bail (le temps d'un stage, par exemple) peut chercher à sous-louer son appartement pour une période limitée, afin de ne pas le laisser inoccupé pendant son absence. Il peut aussi céder son bail à un autre locataire. Dans le premier cas, vous pourrez occuper l'appartement (en général déjà meublé) en payant votre loyer au locataire qui vous a sous-loué son appartement pour une période déterminée (généralement quelques mois), et le locataire qui sous-loue agira comme intermédiaire entre vous et son propriétaire. Dans le second cas, le bail vous sera confié par un locataire qui a l'intention de quitter définitivement son logement. Vous ferez alors affaire directement avec le propriétaire et vous disposerez des mêmes droits et responsabilités qu'un locataire ordinaire, incluant la possibilité de renouveler le bail quand il arrivera à son terme. Cette dernière option présente en outre l'avantage de faciliter la détermination de l'augmentation du loyer au moment du renouvellement du bail. Pour plus de détails, reportez-vous à la section « **Partir, rester et les imprévisibles** » (voir p. 216).

Les questions à poser au propriétaire

Votre visite d'appartement se fera sans doute en présence du propriétaire ou d'un de ses représentants. La visite se fait rarement sans le propriétaire et en présence du locataire actuel du logement (quoique cela puisse arriver et s'avérer très utile). Comme nous l'avons déjà dit, votre souci de lui faire bonne impression ne doit pas vous empêcher de lui poser toutes les questions nécessaires. Assurez-vous de lui demander :

>> Le montant du loyer et le prix du loyer précédent.

>> Si le locataire doit payer l'électricité, le chauffage et l'eau chaude. Et à combien s'élève le prix mensuel moyen et annuel de ces dépenses.

>> Si l'électricité, le chauffage et l'eau chaude proviennent d'une source centrale, s'assurer que le prix est compris dans le montant du loyer (autrement, vous pourriez vous faire facturer une partie des dépenses énergétiques de vos voisins).

>> Si des électros (four, réfrigérateur) sont fournis : voir si l'entretien est aux frais du propriétaire ou aux frais du locataire

>> Si le bail comprend en annexe « le règlement de l'immeuble » (voir p. 78), stipulant, par exemple, que la présence d'animaux domestiques n'est pas tolérée, que l'appartement est non-fumeur, etc.

>> S'il se charge de faire ou de faire effectuer des travaux de peinture

>> Si l'appartement a déjà connu des problèmes de vermine

>> Si vous disposez d'un espace de rangement extérieur, comme un cabanon

>> Si vous avez un accès à la cour

>> Toute autre question que vous jugerez pertinente.

Si vous avez noté des défectuosités qui nécessaiteraient des réparations, faites-en part au propriétaire ou à son représentant en prévision de la signature du bail et ce, pour plusieurs raisons.

Un bail stipule qu'un locataire, en quittant le logement, doit le laisser dans l'état dans lequel il l'a reçu. Faute de noter et de faire observer ces défauts dès votre arrivée ou votre visite, le propriétaire pourrait vous en imputer la responsabilité.

Avoir le pouvoir de négocier : si, par exemple, vous avez la main bricoleuse, vous pourriez vous entendre avec lui pour effectuer certaines de ces réparations en échange de compensations.

Proposer ses services

Un bail, ça se négocie. Si vous croyez avoir trouvé un logement qui vous plaît, bien qu'il comporte certains travaux de réparation ou d'entretien à faire (repeindre les murs, boucher des trous, remplacer des moustiquaires…), vous pouvez proposer au propriétaire d'effectuer ces travaux contre compensation. Si, par exemple, l'appartement demande des travaux de peinture, voyez si le propriétaire consentirait à vous fournir la peinture gratuitement si vous peinturiez vous-même.

Contre une diminution de loyer, vous pouvez également lui proposer vos services pour assurer l'entretien des aires communes de l'immeuble : entretien du vestibule et des escaliers intérieurs, taille des haies, déblayage du trottoir, pelletage de la neige, travaux de repeinte, etc.

La contre-vérification auprès des résidents

Bien que ça ne puisse pas toujours se faire, il est parfois conseillé de contre-vérifier l'information fournie par votre propriétaire quant au montant du loyer, au bruit ou à l'attitude du propriétaire envers ses locataires (concernant la rapidité d'exécution des travaux de réparation, par exemple) auprès des résidents actuels de l'immeuble. Encore faut-il que vous puissiez établir un contact avec eux, mais si vous y parvenez :

>> Demandez-leur quel est le montant de leur loyer. Est-il conforme au « montant du loyer précédent » indiqué dans le bail ? Si ce n'est pas le cas, le propriétaire a fait une fausse déclaration en indiquant un montant erroné dans le bail et vous pourriez le faire valoir à la Régie du logement pour obtenir un réajustement à la baisse de votre loyer.

>> Si vous soupçonnez une fausse déclaration, demandez-leur de vous laisser une copie de leur bail quand ils quitteront leur logement.

>> Interrogez-les sur le coût du chauffage et de l'eau chaude, ainsi que sur le fonctionnement des appareils fournis et la présence de vermine.

>> Interrogez-les sur le bruit et l'ambiance générale de l'immeuble.

Ce que le propriétaire a le droit et n'a pas le droit de vous demander

Le propriétaire est lui aussi en droit de vous poser des questions et de savoir un peu qui vous êtes, mais il ne peut pas vous demander n'importe quoi. Un propriétaire peut demander des renseignements à de futurs locataires. Ils lui seront utiles, par exemple, pour mener une enquête de crédit (afin de connaître leurs habitudes de paiement), et de confirmer leur identité. Comme il s'agit de votre premier logement, il se peut qu'il vous demande un endosseur, soit un parent ou un proche, qui assumera le paiement du loyer si vous traversez des difficultés financières en cours de bail.

Sachez cependant qu'un propriétaire n'est habituellement pas autorisé à vous demander[7] :

>> Votre numéro d'assurance sociale

>> Votre numéro de passeport

>> Votre numéro de permis de conduire

>> Votre numéro de carte d'assurance maladie

>> Le numéro de votre compte bancaire

7. Cette information provient, comme plusieurs autres qui ont aidé à la rédaction de ce chapitre, du *Guide pratique du locataire : Tout ce que vous devez savoir sur vos droits, vos obligations et vos recours*, Éditions Protégez-vous (hors série, 2011), coord. Agnès Delavaux ; en partenariat avec la Régie du logement du Québec, p. 10.

> » Le nom et l'adresse de votre employeur, le montant de votre salaire, un talon de chèque ou de paie

> » Un numéro de carte de crédit.

Cependant, il a le droit de vous demander votre nom, votre adresse actuelle, votre numéro de téléphone, le numéro de téléphone d'une personne à joindre en cas d'urgence et, si cela s'applique à vous, le nom et les coordonnées de votre propriétaire actuel ainsi que les coordonnées de votre dernier logement, de même que le montant du loyer que vous payez actuellement.

Le propriétaire peut également exiger de vous, et d'avance, le paiement d'un mois de loyer – mais pas plus. Il ne peut vous demander une avance sur les autres mois de loyer, ou une série de chèques postdatés, ou quelque « dépôt » préventif que ce soit pour le bris éventuel d'équipement, l'endommagement du logement ou des meubles, ou le simple fait de vous avoir gardé en priorité dans sa liste de candidats à la location.

Le contrat de location

Dès la première visite, il arrive aux propriétaires de présenter aux locataires-candidats un « contrat de location » (aussi appelés *offre de location ou formulaire de location*). Le contrat de location n'est pas un bail : il est plutôt conçu pour faciliter l'enquête de crédit que votre futur propriétaire pourrait faire à votre sujet et vous faire conserver votre priorité dans la liste d'attente. Ne signez pas ce document à la légère, car si le propriétaire décide qu'il vous choisit comme locataire, il pourra vous obliger à conclure et à signer le bail, sur la foi de ce document. Si vous avez changé d'idée entre-temps, vous devrez vous-même prouver que la signature du contrat de location vous a été extorquée, et non pas obtenue en pleine connaissance de cause. Le contrat de location peut vous engager à signer un bail, c'est pourquoi il ne faut pas signer ce contrat sans être sûr de son plein consentement.

Prêtez l'oreille à votre intuition

Il existe toutes sortes de propriétaires : certains se soucient du bien-être de leur locataire ; d'autres s'en fichent et sont peu portés à agir en cas de plainte. Certains vivent loin des logements qu'ils louent, d'autres vivent dans un des appartements de leur immeuble locatif. Pour se faire une idée de leur tempérament, il faut être aussi sensible à leur attitude générale, à leur présence et à leurs qualités humaines. La relation qui lie un propriétaire à ses locataires est contractuelle, mais elle peut aussi être affaire d'affinités et de bonne entente. Étudiez le comportement du propriétaire qui vous accueille pour la visite et demandez-vous s'il vous sera possible de bien vous entendre avec lui. Puis, une fois revenu chez vous, remplissez votre **fiche d'inspection du logement** (voir p. 74) en notant tous les détails qui vous importent.

Fiche d'inspection du logement

Adresse : _____ Visité le : _____

Personne rencontrée : _____ Téléphone : _____

Montant du loyer : _____ Loyer précédent : _____ Électricité/an : _____

Nombre de pièces : _____ Étage : _____ Boîte à fusibles (l'alimentation des appareils et des pièces est-elle bien indiquée ?) _____

_____

Eau chaude (l'approvisionnement est-il central et compris dans le loyer ou provient-il d'un réservoir individuel ?) : _____

_____

Observations sur le quartier : _____

_____

Services à proximité (épicerie, pharmacie, clinique, transports en commun, buanderie, etc.) : _____

_____

Bruit : _____

Accessibilité des compteurs (Hydro, gaz, etc.) : _____

Services compris (chauffage, eau chaude, électricité, stationnement, rangement extérieur) : _____

Animaux ? _____

Fumeur ? _____

Meubles et électros fournis : _____

Nombre de prises électriques par pièce : _____

Fonctionnement et état des meubles et des électros : _____

_____

Fenêtres et portes (infiltrations d'air ?) :

_____

État de la salle de bains (état des murs, pression de l'eau, moisissures, etc.) :

_____

État de la cuisine (espace de rangement, état du comptoir, pression de l'eau, etc.) :

_____

État des murs (à repeindre ou à nettoyer ?, etc.) :

_____

État du plancher (égratignures ou autres défauts ?) :

_____

Améliorations ou réparations annoncées par le propriétaire :

_____

Observations personnelles :

_____

_____

_____

Ce qui est bon de savoir avant de signer un bail

Vous avez trouvé l'appartement qui convient et le propriétaire accepte de vous le louer : c'est le moment où s'impose l'étape cruciale de la signature du bail, qui scellera, pour le futur, l'entente et les obligations mutuelles du propriétaire et du locataire.

À partir de quand le bail est-il signé ?

Ordinairement, un bail est signé lorsque le propriétaire et vous apposez vos noms et signatures dans la section H et la section A du document intitulé *Bail de logement, Formulaire obligatoire de la Régie du logement en double exemplaire*, imprimé produit par les Publications du Québec et vendu 1,99 $ dans les épiceries, dépanneurs, pharmacies et librairies de votre entourage. (Vous en reconnaîtrez facilement la page couverture blanc et bleu). Notez que c'est au propriétaire de fournir les copies de ce document, imprimé en double exemplaire afin que chacun signe et conserve sa propre copie conforme. Ouf !

Cela dit, un *bail verbal* est valide sitôt que vous avez versé une contrepartie financière au propriétaire en échange du droit d'habiter un logement. Le propriétaire est ensuite chargé de fournir au locataire le document obligatoire de la Régie pas plus de 10 jours après la conclusion d'un bail verbal.

Le bail en bref

Le bail est un contrat de location qui engage, pour toute sa durée, le locataire et le propriétaire à respecter un ensemble d'obligations et de responsabilités auxquelles ils sont mutuellement tenus.

Le locataire s'engage à respecter les obligations suivantes :

>> Payer le loyer au domicile du locateur (ou à tout autre endroit précisé) à la date convenue sans retard : habituellement le premier jour de chaque mois ;

>> Utiliser le logement « avec prudence et diligence » ;

>> Effectuer les menus travaux d'entretien ;

>> Avertir le propriétaire dès qu'il remarque dans le lieu loué un problème, une défectuosité ou un dommage important ;

>> Ne pas nuire par sa conduite (ou celle de ses visiteurs) à la jouissance paisible des lieux des autres locataires – autrement dit, ne pas déranger les autres locataires ;

>> Ne pas faire de changements majeurs à l'état ou à la nature du logement ;

>> Permettre au propriétaire, et à quiconque l'accompagne, l'accès au logement ayant pour but des travaux, des visites (de locataires potentiels) ou des vérifications ;

>> Remettre le logement dans l'état où il l'a reçu à la fin du bail.

Le propriétaire s'engage à respecter les obligations suivantes :

>> Fournir au locataire, dès le premier jour d'entrée en fonction du bail, un logement en bon état d'habitabilité et sécuritaire ;

>> Procurer la jouissance paisible des lieux (et, le cas échéant, intervenir en cas de litige auprès d'autres locataires) ;

>> Assurer que le logement puisse servir à l'habitation et l'entretenir à cette fin ;

>> Ne pas changer la forme et l'usage du logement en cours de bail ;

>> Effectuer sans délai les réparations urgentes et nécessaires.

C'est simple, n'est-ce pas ? Mais pour que vous soyez en mesure de bien comprendre ces obligations, nous y reviendrons bientôt en détail.

Durée du bail

Il n'existe pas de loi officielle pour fixer la durée de la location d'un logement. Bail au mois, bail de trois mois, bail à l'année ou autre : les durées varient selon l'entente prise entre le locateur et le locataire, ainsi que la nature du logement loué (un bail commercial moyen est de trois ans; le bail d'une chambre dans une maison de chambres ou chez le propriétaire peut être de trois mois, etc.). Il existe aussi des baux « à durée indéterminée ». Mais la différence principale entre ces différents types de baux, réside dans les délais autorisés pour y mettre fin ou les renouveler. (Pour plus de précisions sur les délais à respecter quant aux conditions de renouvellement ou de non-renouvellement du bail, consultez la section « **Partir, rester et les imprévisibles** » (voir p. 216.)

La section G du bail

Comme nouveau locataire, vous avez le droit de savoir quel était le montant du loyer le plus bas payé par les locataires précédents du logement au cours des 12 derniers mois. Cette information devrait être inscrite par le propriétaire dans la section G de votre bail (au bas de la page 3). Il peut aussi inscrire les raisons pour lesquelles le montant du loyer a été augmenté.

Augmentations injustifiées ?

Le taux d'occupation des logements est maintenant très bas dans certains secteurs et l'arrivée d'un nouveau locataire est souvent, pour le propriétaire, une occasion d'augmenter le loyer au-delà des taux d'augmentation suggérés par la Régie du logement[8]. Si vous pouvez prouver que cela est votre cas, vous disposez de certains recours pour faire revoir le montant de votre loyer à la baisse.

Si vous avez la preuve (comme une copie du bail des anciens locataires) que les anciens locataires du logement payaient un montant de loyer inférieur au vôtre, vous avez **10 jours** après avoir signé le bail pour déposer une demande de révision du montant du loyer à la Régie du logement.

Si le propriétaire n'a pas rempli la section G du bail et que vous pouvez prouver que le montant du loyer était inférieur à celui qu'il vous a demandé, vous disposez d'un délai de **2 mois** pour faire valoir cette même demande à la Régie.

Si vous vous apercevez que le propriétaire a inscrit un faux montant à la section G du bail concernant le plus bas loyer payé par les locataires antérieurs lors des 12 mois précédant votre arrivée, vous disposez également d'un délai de **2 mois** pour faire une demande de révision du montant du loyer à la Régie. Notez qu'il sera de votre responsabilité de prouver à la Régie que le propriétaire a fait une fausse déclaration.

Annexes du bail – le règlement de l'immeuble

Quand le jour sera venu de rencontrer votre futur propriétaire afin de signer le bail et de conclure l'entente, il se peut que le propriétaire vous présente un ou des documents annexes, généralement intitulés « règlements de l'immeuble », comportant un certain nombre de clauses additionnelles au bail et identifié dans le bail même au bas de la section E (p. 4), « Autres services et conditions ». Le propriétaire indiquera généralement dans cette section qu'*il existe une annexe qui fait partie intégrante de ce bail et forme un tout indivisible avec lui.* Vous devrez bien lire ces règlements et clauses additionnelles (davantage formées de « conditions » que de « services » additionnels), pour vérifier si ces dernières comportent des clauses abusives et vous transfèrent la responsabilité de certains services que le propriétaire est légalement tenu de

---

8. www.rdl.gouv.qc.ca/fr/calcul/calcul.asp

vous fournir («règlement de l'immeuble» ou pas!). Si certaines de ces clauses se contentent de répéter (afin de les souligner) des clauses déjà valides dans le bail, soyez à l'affût de clauses non valides comme les suivantes :

>> L'extermination de la vermine : quoi qu'il en dise, c'est au propriétaire qu'incombe la responsabilité de faire exterminer la vermine et les parasites (punaises de lit, coquerelles, souris) qui se seraient introduits dans le logement et de couvrir les frais d'extermination. Cependant, s'il peut prouver que que c'est vous qui avez introduit des parasites, il pourrait ensuite porter devant la Régie du logement des recours en dommages contre vous.

>> Les clauses qui vous imputent la réparation de tout dommage causé au logement à la suite d'un vol par effraction.

>> Les clauses qui permettraient au propriétaire de vous facturer des travaux d'entretien qui relèvent de sa responsabilité.

>> Les clauses qui permettraient au propriétaire de vous facturer des intérêts sur les chèques de loyer déposés à la Régie du logement (et non au propriétaire) en cas de litige entre le locataire et le propriétaire dont le règlement serait confié à l'arbitrage de la Régie du logement.

>> Les clauses qui autoriseraient le propriétaire à modifier le montant du loyer en cours de bail (soit avant son renouvellement).

>> Les clauses qui vous feraient porter la responsabilité de réparations urgentes et nécessaires, comme réparer les serrures, les installations électriques, les marches d'escalier, les tuyaux d'égout bouchés, etc.

Cependant, un propriétaire a le droit de préciser, par exemple :

>> Que vous devez vous munir d'une police d'assurance habitation, comprenant une clause de responsabilité civile, c'est-à-dire une clause qui pourrait couvrir les frais entraînés par des accidents dont vous pourriez être tenu responsable ;

>> Que la présence d'animaux est interdite dans le logement ;

>> Qu'il est interdit de fumer dans le logement ;

>> Que vous devez garder le logement chauffé en hiver.

Quand nous commenterons les droits et obligations du locataire et du propriétaire, nous commenterons aussi ces trois derniers règlements de l'immeuble.

Les droits et obligations du locataire

Nous avons identifié, en résumé (voir « Le bail en bref », p. 76), quels étaient vos droits et obligations en votre qualité de locataire : le moment est maintenant venu de les examiner de plus près.

Le paiement du loyer à la date prévue

Le paiement du loyer aux conditions et à la date prévues par le bail est l'obligation principale du locataire. Il est indispensable que vous payiez le loyer à la date convenue sans retard. Quel que soit votre mode de paiement, assurez-vous que votre propriétaire pourra encaisser le montant du loyer à la date prévue – le premier jour du mois, habituellement. **Le premier jour du mois n'est pas celui où vous devriez poster votre chèque de loyer, mais la date maximale à laquelle celui-ci devrait parvenir à votre propriétaire**. Si vous ne lui avez pas remis de chèques postdatés, assurez-vous de poster vos chèques quelques jours à l'avance. Au premier jour de retard, le locataire est considéré comme fautif. Après trois semaines de retard, ou si vous payez votre loyer en retard à répétition, votre propriétaire pourrait vous réclamer des intérêts ou même demander la résiliation de votre bail auprès de la Régie du logement s'il peut prouver que vos mauvaises habitudes de paiement lui causent un préjudice sérieux.

Le respect de la vocation du logement

L'appartement que vous louez est à vocation résidentielle et doit le rester. C'est seulement sous certaines conditions qu'on peut y tenir une activité commerciale. Généralement, les tâches d'un travailleur autonome (ou pigiste) ne posent pas de problème si elles ne dérangent pas les autres locataires et si la plupart des pièces conservent leur vocation résidentielle. En principe, la superficie d'un appartement résidentiel loué consacré à une activité professionnelle ne devrait pas **excéder plus d'un tiers de la superficie totale du logement**. (Par exemple : un bureau occupant une pièce unique dans un 3½.)

Tenir le logement propre et le rendre, en quittant, dans l'état dans lequel vous l'avez reçu

En l'absence de preuves, le fait d'accepter et de signer le bail conviendra de manière implicite que vous avez reçu du propriétaire un logement en bon état d'habitabilité et propre. C'est pourquoi il est indispensable, avant de signer, d'avoir fait l'inventaire des défauts observés dans le logement pendant la visite (voire de les prendre en photo ou de les avoir remarqués en présence d'un témoin) et de les avoir signalés au propriétaire (état du plancher, des murs, des fenêtres, etc.). Utilisez votre **fiche d'inspection du logement** (voir p. 74) dûment remplie en guise d'aide-mémoire. N'hésitez pas à faire confirmer par écrit dans le bail ou dans une annexe (*votre* annexe), les travaux que le propriétaire s'est engagé à faire avant de vous confier le logement, ainsi que d'y ajouter une description de l'état général du logement.

Ajoutez-y aussi tous les détails qui vous semblent pertinents, comme le fait que vous travaillez à la maison (et que vous comptez consacrer une partie du logement à une activité professionnelle) ou le fait que vous êtes fumeur ou non, que vous possédez un animal domestique ou non, de même que les tâches d'entretien que le propriétaire a pu vous confier en échange d'une compensation.

Quand vous quitterez le logement, vous devrez également retirer les modifications que vous y avez apportées, par exemple : décrocher les étagères et boucher les trous des murs, reprendre les stores et les électros, etc., à moins de conclure une entente avec le prochain locataire ou le propriétaire qui vous autorise à les laisser sur les lieux contre compensation.

Effectuer les menus travaux d'entretien

Vos responsabilités ne se limitent pas au fait de tenir le logement en bon état de propreté. Elles s'étendent aussi aux « menues réparations » ou réparations locatives qui concernent autant le logement loué que les meubles et les appareils qui vous ont été fournis.

Les menus travaux d'entretien, par exemple, peuvent inclure de reboucher les trous que vous avez faits dans les murs (et de faire les retouches de peinture) ou encore, de manière générale, de réparer de menus dommages dont vous ou votre animal de compagnie auraient été la cause. Le fait est que la nature vague de ce qu'on appelle « menus travaux d'entretien » inspirent parfois des clauses abusives ou douteuses. Par exemple, on ne devrait pas vous donner la responsabilité de réparer quelque élément électrique que ce soit (fils, interrupteurs, etc.) dans l'appartement.

Évidemment, une « menue réparation » ne consiste pas à remplacer un comptoir, abattre un mur, déboucher les tuyaux d'égout, installer ou arracher des tapis, remettre à neuf un plancher, ou toute réparation qui concernerait le système d'alimentation en électricité et en énergie de l'appartement.

Aviser le propriétaire de toute défectuosité majeure

En qualité de locataire, vous disposez du droit d'occuper et de jouir d'un logement qui, cependant, n'est pas votre bien, mais un bien qui vous est loué. Il est donc indispensable – et simple affaire de bon sens – d'en prendre soin. Vous devez aussi signaler à votre propriétaire et dans les plus brefs délais toute détérioration majeure causée au logement que vous auriez constatée – dégât d'eau, moisissures, présence de parasites, etc. –, que vous en soyez la cause ou non. Vous empêcherez ainsi le problème de s'aggraver (et de menacer votre sécurité), tout en permettant au propriétaire d'intervenir. Si vous manquez à cette règle, votre propriétaire pourrait juridiquement vous faire des réclamations pour ne pas avoir été prévenu du dommage dans un délai raisonnable.

Cette règle est d'ailleurs l'une des raisons pour lesquelles il serait important pour vous de **vous procurer une police d'assurance habitation comportant une clause de responsabilité civile**. Conçue pour couvrir les frais des dommages et réparations des accidents dont vous pourriez être tenu responsable, cette clause peut valoir l'acquisition de la police d'assurance à elle-seule, même si vous estimez ne pas posséder beaucoup de biens de valeur à assurer.

Ne pas nuire à la jouissance des lieux des autres locataires

En zone urbaine, les voisins font rarement connaissance avant qu'un conflit n'éclate. Comment, alors, mesurer ce qu'est leur seuil de tolérance ? Car oui, c'est d'abord du bruit dont il est question, la cause principale des disputes et des litiges entre voisins.

Imaginons deux situations inversées. La première : nouvellement installé dans votre premier appartement, vous invitez vos amis à pendre la crémaillère, comme il se doit. On fête et on rit fort, on écoute de la musique. Mais pas de chance : un voisin vient vous demander de cesser de faire du bruit, avant 23 h. Vous êtes alors tenu d'obéir. Cet individu travaille peut-être le lendemain, et de bonne heure, congé férié ou pas, crémaillère ou pas. Il a sans doute de bonnes raisons d'exiger une ambiance calme.

Seconde situation : vous préparez une série d'examens importants. Vous n'en dormez presque plus de la nuit et, la veille même du début de vos examens, un de vos voisins fait une fête et le bruit vous empêche de vous concentrer. Vous n'osez peut-être pas vous plaindre parce que vous avez bien fêté vous aussi, à d'autres moments. Ou vous allez lui demander le silence et le calme et il se moque de vous et vous rappelle que vous n'êtes pas le plus silencieux des locataires.

Dans les deux cas, c'est la personne bruyante qui a tort.

Vous avez peut-être entendu cette affirmation qui stipule que vous avez le droit de faire autant de bruit que vous voulez pourvu que le bruit cesse quand 23 h ont sonné. C'est faux et ni vous-mêmes ni quelqu'un d'autre n'a le droit de contrevenir à la « jouissance des lieux » des autres personnes, même en plein après-midi.

Et, même le jour, la musique trop forte et les activités bruyantes peuvent justifier des plaintes (auprès du propriétaire comme auprès de la police, pour tapage). Autrement dit, lorsqu'il est question de la jouissance des lieux, votre liberté cesse là où commence celle des autres. Vous ne pouvez pas présumer jusqu'à quel point vos voisins peuvent tolérer le bruit, que ce soit le travailleur autonome qui a besoin de tranquilité pour travailler chez lui, la jeune famille dont le bébé a du mal à faire ses nuits ou la personne âgée aux nerfs particulièrement fragiles. Ou encore l'étudiant qui a parfois des travaux et des examens importants à préparer. Dites-vous que si vous entendez tous les bruits de vos voisins, il y a de bonnes chances qu'ils entendent les vôtres aussi. Pour mieux gérer cette question épineuse, tâchez de faire connaissance avec eux, voire de connaître leur emploi du temps. Avertissez-les d'avance ou demandez leur avis si vous avez l'intention de célébrer quelque chose. Cette attitude les rendra peut-être plus obligeants le moment venu. Vous pourriez même les inviter.

Cela dit, les causes de dérangement des autres locataires peuvent également comprendre :

>> Le comportement de vos invités (duquel vous êtes tenu responsable)

>> Le bruit ou les odeurs de vos animaux

>> Le dérangement causé par l'encombrement ou le flânage dans les espaces communs (la cage d'escalier intérieure n'est pas le lieu pour entretenir une discussion animée, encore moins pour se disputer à haute voix)

>> Le fait de laisser traîner ses ordures dans les espaces communs comme les balcons partagés ou la cage d'escalier; ou de sortir ses déchets à d'autres moments que les jours de collecte.

Si vous constatez qu'un autre locataire est la cause de ce genre de problème, le mieux est d'abord de l'en aviser personnellement. S'il n'y a pas d'amélioration, ce sera au propriétaire d'intervenir pour corriger la situation. Si toutes ces tentatives de règlements à l'amiable échouent, vous pourrez toujours porter plainte contre le propriétaire à la Régie du logement pour le motif qu'il n'est pas parvenu à corriger la situation (en espérant que personne n'ait à en arriver là).

Fido fait du grabuge, Minou fait ses griffes, et l'odeur de la cigarette

La plupart des polices d'assurance ne couvrent pas les dommages causés par votre animal domestique. Ces dommages deviennent alors votre entière responsabilité.

Le propriétaire a le droit de refuser les animaux dans le logement qu'il loue, comme il peut déclarer son logement « non fumeur ». Il n'y a pas vraiment de loi concernant ces restrictions, qui sont laissées à la discrétion du propriétaire. Comme ces restrictions relèvent de son bon vouloir, il est important de vous informer lors de la visite du logement si la présence d'animaux et la fumée de cigarette sont tolérés. Si le propriétaire constatait que vous possédez un animal de compagnie ou que vous fumez sur les lieux loués malgré tout, il pourrait réclamer au tribunal de la Régie du logement une ordonnance qui vous demanderait de ne pas fumer dans l'appartement ou de vous départir de votre animal. Cependant, ces restrictions devront avoir été clairement précisées dans le bail ou dans les règlements de l'immeuble qui en font partie (comme dans la section E de votre bail).

Les raisons qui expliquent cela sont le fait que l'odeur de cigarette peut diminuer la valeur de revente ou faire fuir des locataires potentiels. Les animaux, quant à eux, peuvent avoir un comportement dérangeant ou destructeur à l'intérieur d'un logement, et donc nuire à son bon état ou à la jouissance des lieux des autres locataires. Par exemple, un chat qui a ses griffes et qui endommage les plinthes ou un chien angoissé qui aboie sans arrêt en l'absence de son maître.

Cependant, tout n'est pas perdu. Si un propriétaire interdit la présence d'animaux domestiques dans son logement, vous pouvez tâcher de le rassurer en lui expliquant que votre animal se comporte très bien. *Ma chatte est très calme et discrète, elle n'a plus de griffes, elle est bien élevée et ne devrait pas causer de problèmes* pourront suffire à lui faire changer d'avis (si ce que vous lui dites est vrai, bien sûr !).

Les droits et obligations du propriétaire

Garantir le plein accès au logement et veiller à son bon état d'habitabilité

La première obligation du propriétaire consiste à garantir le plein accès au logement et à veiller à son bon état dès le début du bail et à vous en remettre les clés. Le logement doit être en bon état, propre et habitable. Les accessoires fournis, électroménagers et autres, doivent être propres et en bon état de fonctionnement. Les services essentiels, comme l'eau chaude, le chauffage et l'électricité, doivent tous fonctionner ; les réparations mentionnées dans le bail (lors de votre visite) doivent avoir été exécutées avant votre arrivée. (À moins d'avis contraire, comme une entente stipulant que vous participerez à ces travaux contre compensation.)

Aussi, lorsque vous prendrez possession des lieux, inspectez de nouveau votre logement et signalez toutes les défectuosités que vous aurez observées au propriétaire afin qu'il intervienne avec diligence. Si vous trouvez que, depuis la signature du bail, l'état de votre logement s'est détérioré au point d'être devenu inhabitable le jour de votre déménagement – ce qui est un cas extrême et plutôt rare, mais pas impossible –, vous pouvez refuser de prendre possession des lieux et faire résilier le bail. Cependant, c'est à vous qu'il incombera de prouver que l'état du logement constitue une menace sérieuse pour votre santé ou votre sécurité.

Si, en cours de bail, le logement devient impropre à l'habitation – par l'effet, par exemple, d'une panne de chauffage en plein hiver ou par le résultat d'autres détériorations –, vous devez en aviser votre propriétaire afin qu'il procède aux réparations le plus tôt possible.

Un outil utile : le « journal » de la location

En cours de bail, tâchez de garder un journal de votre séjour en appartement et de vos contacts avec votre propriétaire. Si vous lui signalez un problème, inscrivez dans ce journal la date de l'appel, le nom de votre interlocuteur et résumez la conversation. Conservez une copie de votre correspondance écrite avec le propriétaire et les reçus de votre courrier recommandé. (Dans les cas de mises en demeure ou d'avis de renouvellement ou de non-renouvellement du bail, la correspondance se fait préférablement par écrit et par courrier recommandé, pour s'assurer que le propriétaire et le locataire aient bien reçu les avis qu'ils s'échangent).

Quand un propriétaire tarde à faire une réparation urgente et nécessaire, il est permis par la loi que vous fassiez exécuter les travaux et que vous en réclamiez les frais à votre propriétaire. Dans de tels cas, assurez-vous de conserver vos factures, vos reçus et autres pièces justificatives ainsi que des photographies des parties endommagées avant la réalisation des travaux, car vous devrez prouver votre bonne foi à votre propriétaire. De plus, assurez-vous que les réparations exécutées se limitent aux réparations urgentes : n'en profitez pas pour faire rénover votre appartement ou l'immeuble au complet...

Procurer la jouissance paisible du logement

Le propriétaire doit aussi **vous** procurer la jouissance paisible du logement. Ni lui ni aucun voisin n'ont le droit de perturber ou de déranger votre vie intime. En cas de dérangements persistants causés par les autres occupants de l'immeuble, c'est au propriétaire d'intervenir pour corriger leur comportement dérangeant (si le fait de discuter avec votre voisin fautif est resté sans effet). Dans les cas les plus extrêmes, vous pourrez porter plainte à la Régie du logement afin d'obtenir une indemnisation, une dimution du loyer ou même la résiliation du bail sur la base que le propriétaire n'a pu corriger la situation. Cependant, les problèmes causés par d'autres personnes que les locataires de l'immeuble (par exemple, le voisin d'en face ou d'à côté, etc.) ne sont pas de la responsabilité du propriétaire. C'est alors à vous qu'il incombe de trouver des solutions (comme de porter plainte à la police).

Cela dit, comme le propriétaire doit aussi **maintenir le logement en bon état d'habitabilité** et procéder aux réparations « urgentes et nécessaires », vous devez lui garantir l'accès au logement lorsqu'il s'agit de faire exécuter les travaux dont il est responsable. Cela ne veut pas dire qu'il peut accéder à votre logement en tout temps sous prétexte qu'il y a des travaux à exécuter. Il devrait vous aviser de ce genre de visite ou de toute visite au moins **24 heures à l'avance** (ou même plusieurs jours à l'avance s'il s'agit de travaux importants qui exigeraient que vous vous absentiez temporairement de votre logement).

Respecter la forme et la vocation du logement

En cours de bail, le propriétaire n'a pas le droit d'engager des travaux visant à transformer la forme ou la vocation du logement (comme faire de votre logement un logement commercial). De même il ne peut modifier les clauses du bail et le montant du loyer avant le renouvellement du bail. Dans de tels cas, il est tenu de vous en aviser **au moins trois mois avant la date de renouvellement ou de cessation du bail** (dans le cas d'un bail d'une durée de 12 mois).

ET VOILÀ ! Cela fait beaucoup de choses à retenir, n'est-ce pas ? Bien que nous vous souhaitons une expérience de location sans pépin et harmonieuse, il est toujours plus pratique de s'informer de ses recours et de ses droits, et de se familiariser d'avance avec les problèmes de location les plus courants. Un locataire averti en vaut deux ! Mais ce n'est pas tout...

D'ici à ce que l'on voie comment bien se préparer à un déménagement et comment bien s'installer chez soi – ce qui devrait remettre à l'avant-plan la question budgétaire –, vous avez peut-être envie de connaître d'autres aspects du bail et de la vie de locataire. Voici donc d'autres informations :

>> Vous comptez avoir des colocataires, tout savoir sur les responsabilités des colocataires prévues par le bail et obtenir des conseils pour assurer la bonne entente entre tous ? Reportez-vous à la section spéciale « **La vie en colocation** », (voir p. 88).

>> Vous voulez connaître quelles sont les démarches à suivre pour renouveler ou ne pas renouveler votre bail, sous-louer votre appartement ou céder votre bail à quelqu'un d'autre ? Reportez-vous à la section « **Partir, rester et les imprévisibles** » (voir p. 216).

>> Vous voulez faire vos prévisions budgétaires détaillées qui couvriront l'année ou une autre période de temps ? Reportez-vous au modèle de **Grille d'estimation annuelle du budget** (voir p. 87).

Grille d'estimation annuelle du budget

Revenus	Mois	Année
Économies disponibles		
Revenus d'emploi d'été		
Revenus d'emploi étudiant		
Prêts et bourses		
Allocation familiale		
TPS		
Autres (préciser)		
TOTAL		

Dépenses Fixes	Mois	Année
Loyer		
Électricité		
Téléphone		
Cellulaire		
Câble		
Internet		
Assurance habitation		
Frais bancaires		
Autres (préciser)		
TOTAL		

DÉPENSES VARIABLES et autres dépenses	MOIS	ANNÉE
Épicerie		
Repas à l'extérieur		
Transport		
Vêtements (achat et entretien)		
Entretien logement		
Loisirs, resto, tabac		
Paiements		
Voiture		
Frais afférents		
Fournitures scolaires et informatique		
Cadeaux		
Prêts		
Autres (préciser)		
TOTAL		
TOTAL DES DÉPENSES (fixes + variables)		

La vie en colocation

Qu'est-ce qu'être colocataire ?

Nombre d'étudiants, qui font leurs débuts dans la vie indépendante et les études postsecondaires, choisissent de s'installer à plusieurs en appartement. Ils partagent les frais des services de base comme le loyer, l'électricité et Internet. La vie quotidienne leur coûte donc moins cher et leur fait disposer de plus d'espace et de confort dans les aires communes (comme le salon et la salle à manger). Au-delà de ces aspects pratiques, la vie en colocation se révèle riche en expériences et en enseignements. Qu'ils choisissent de s'installer avec des inconnus, des membres de leur famille (frère, sœurs, cousins ou cousines) ou leurs meilleurs amis, les colocs tâchent de mener indépendamment leur vie tout en ayant à composer avec les hauts et les bas de la vie en commun. C'est l'occasion d'acquérir des habiletés de base (comme cuisiner et tenir ses comptes à jour), mais aussi des valeurs et des aptitudes humaines comme le respect de l'autre et de soi, la tolérance, ainsi que l'art de négocier pacifiquement et de vivre en communauté de façon responsable. Certains y découvrent, aussi, qu'ils préfèrent vivre seuls ; d'autres y développent des qualités qui leur permettront, l'heure venue, de mieux vivre en couple et en société. La colocation est rarement un état permanent, mais les apprentissages qu'on y fait peuvent durer toute la vie.

Colocataire ou occupant ?

Comme individu qui loue un logement de concert avec une ou plusieurs autres personnes, le colocataire est habituellement tenu de respecter individuellement tous les engagements auxquels il a souscrit dans le bail. Il doit payer sa part de loyer au moment prévu, entretenir le bien qui lui est loué, et ne pas contrevenir à la jouissance normale des lieux des autres colocataires et des voisins. Le colocataire bénéficie également des mêmes droits garantis par le bail, dont celui de pouvoir occuper le logement loué. En principe, personne ne peut l'obliger à quitter le logement quand les rapports de colocation se détériorent. S'il veut lui-même quitter le logement avant le renouvellement du bail, il devra essayer de sous-louer ou de céder sa part de bail à quelqu'un d'autre afin de ne pas continuer d'assurer le paiement de sa part de loyer.

Il est possible, cependant, de louer soi-même un logement et de le partager ensuite avec des « colocataires » qui seront en fait des **occupants**, c'est-à-dire des personnes qui ne sont pas cosignataires du bail, mais qui scellent une entente avec les locataires « officiels » de l'appartement (ceux qui ont signé le bail). À l'inverse, on peut aussi s'engager à occuper la partie d'un logement en qualité d'occupant, selon une entente négociée avec le ou les locataires officiels du logement.

Baux de colocs : qui paie ?

Il existe deux types de baux en cas de colocation : le **bail à obligation conjointe** et le **bail à obligation solidaire**. S'il ne comporte aucune mention concernant le type de colocation, ce bail est par défaut un bail à colocation conjointe. Dans le bail à colocation conjointe, chaque signataire est individuellement tenu de payer, au moment convenu, sa part de loyer (et de respecter les autres règlements du bail).

Le **bail à obligation solidaire** comprend une clause ajoutée qui déclare les locataires *solidairement responsables* du paiement du loyer (et du respect des autres règlements du bail). Cela veut dire, par exemple, que si vous payez ponctuellement votre part de loyer, mais que vous avez un coloc qui paie sa part en retard, le propriétaire sera en mesure d'exiger de vous de payer sa part de loyer.

Les limites de l'impunité du bail à obligation conjointe

Cela dit, quelle que soit la nature de votre bail de colocation, il y a tout à gagner à ce que chacun paie sa part de loyer à temps. Car si, en présence d'un coloc mauvais payeur ou retardataire à répétition, vous n'êtes pas tenus (dans un bail à obligation conjointe) de payer sa part de loyer, un propriétaire exaspéré pourrait fort bien, preuves à l'appui (comme le cachet postal des chèques de loyer en retard ou des avis de chèques sans provision, etc.), demander à la Régie du logement la résiliation du bail et l'expulsion de tous les occupants – et pas seulement du locataire fautif. Comme quoi la notion de *responsabilité* a toujours un petit arrière-goût de solidarité quelque part.

Futur coloc : prêt ou pas ?

En décidant de vous lancer dans l'aventure de la colocation, vous avez sans doute déjà l'intuition qu'un coloc, tout comme le genre d'appartement et de quartier dans lequel vous voulez vivre, ça se choisit. Mais pour faire un choix éclairé, il faut aussi se connaître. Quel est votre mode de vie ? Que tenez-vous pour sacré ? Êtes-vous veille-tard ou couche-tôt ? Contrôlant ou plutôt passif ? Carnivore ou végétarien ? À cheval sur la propreté ou plutôt à l'aise dans le désordre (le vôtre comme celui d'autrui) ? Tolérez-vous la fumée de cigarettes ? Avez-vous des allergies (aux animaux, à certains aliments, etc.) ? Êtes-vous porté à tout partager ou plutôt adepte du chacun pour soi ? En toute honnêteté, demandez-vous quel genre de colocataire vous seriez... pour les autres ?

Comme un peu d'introspection s'impose avant que vous recherchiez le coloc idéal, prenez le temps de dresser un petit bilan de votre personnalité et de ce qui est important pour vous. N'hésitez pas à demander l'opinion d'un ami en qui vous avez confiance. Qu'est-ce qu'il faudrait améliorer ? Quelles sont les qualités qu'on remarque chez vous ? Quelle est la chose qu'on vous reproche le plus ? Comment vous comportez-vous en situation de conflit ? Ce petit examen vous permettra ensuite de mieux dresser la liste de vos attentes et de vos conditions à la vie en colocation.

Recherche du colocataire

Grâce à Internet, l'étudiant branché peut désormais placer des appels de colocation beaucoup plus complets sur des sites de petites annonces que ce qu'offrent les traditionnelles trois lignes des annonces classées des journaux. Profitez de cet espace supplémentaire pour bien présenter qui vous êtes et quelles sont vos attentes et vos limites (sur la fumée de cigarette, le bruit ou les animaux de compagnie). Dites-vous que plus vous serez précis, mieux vous attirerez des profils correspondant à vos goûts et à votre personnalité. Ne vous contentez pas de vous dire « charmant et sympathique », puisque nous le sommes tous, n'est-ce pas ?

Dans vos recherches, consultez aussi les babillards et les services du cégep et soyez attentifs aux offres de colocation qui s'y présentent. Vous serez peut-être tentés d'embarquer dans un train en marche si celui-ci vous fait bonne impression.

Enfin, lorsque les premières réponses se présenteront, préparez-vous à discuter avec les candidats de tout ce qui est important pour vous. Ces premières discussions ne devraient pas seulement traiter des caractéristiques du logement et du quartier que vous cherchez, de l'espace dont vous disposerez, du coût et du partage des frais, etc., même si cela est important. Vous devrez également faire connaissance avec vos interlocuteurs et évaluer la compatibilité de vos caractères. Il n'y a donc aucune gêne à poser toutes les questions pertinentes qui se rapportent à leurs goûts et à leur emploi du temps, à leur conception du partage des tâches et à la gestion de la visite : tout ce que vous jugerez important d'aborder. En retour, préparez-vous à répondre à leurs questions le plus sincèrement et le plus précisément possible. Enfin, après avoir bien discuté, demandez-leur s'ils seraient d'accord pour préparer, écrire et signer ensemble une **convention de colocataires** (voir p. 92), qui servira de base à la répartition des tâches et réglera d'éventuels conflits. Si certains préfèrent s'en tenir à une entente verbale, insistez pour que cette convention soit écrite. *Les paroles s'envolent, les écrits restent.*

Profil du coloc idéal

Évidemment, certains tempéraments sont plus naturellement enclins à faire de bons colocataires. On les dira sociables et flexibles, respectueux et attentifs aux besoins et aux goûts des autres, bien qu'intègres aussi concernant les leurs. Ils s'adaptent aux situations sans trop négliger leurs valeurs et savent trouver des compromis. Égaux dans leurs relations, ils ne sont pas trop portés à vouloir dominer les autres ou à se soumettre à leurs quatre volontés. Ils ont une attitude généralement positive et ouverte concernant les problèmes, et partagent les bons comme les mauvais côtés de la vie. Le colocataire modèle présente en général un bon équilibre entre des traits de sociabilité et d'indépendance. Bien se connaître et disposer d'un minimum de psychologie (et de diplomatie) dans ses relations avec les autres sont toujours des atouts pour la vie en colocation.

Mais où peut donc se trouver ce profil idéal, puisque personne n'est parfait ? Si ce profil vous semble manquer de réalisme ou ne pas vraiment correspondre au vôtre, vous pourrez rapidement en cultiver les qualités en respectant certains principes et règles faciles de cohabitation, en espérant que vos colocs y mettent aussi du leur. Cela dit, quand il est question de colocation, il y a des tempéraments qu'il vaut mieux ne pas associer :

>> L'obsédé de la propreté et l'adepte du laisser-faire, qui risquent de provoquer des tempêtes à répétition pour des questions de ménage;

>> Le fêtard invétéré et le soldat de l'étude, de même que le couche-tard et le couche-tôt, pour des raisons évidentes. Il vaut mieux s'associer avec des gens dont le mode de vie et l'emploi du temps sont comparables aux vôtres;

>> Le dominant incurable et le sujet qui, à tout prix, veut éviter les conflits : l'un risque de trop prendre ses aises au détriment de l'autre.

Enfin, si vous remarquez les traits de caractère suivants pendant les entretiens préliminaires, ayez l'œil aiguisé pour ces types d'attitude :

>> Les vantards qui parlent infatigablement d'eux-mêmes et ne prêtent pas attention à ce que disent les autres ou ne s'y intéressent pas ;

>> Ceux qui veulent toujours avoir raison, qui voudront sans doute piloter la colocation comme des généraux d'armée ;

>> Les gens dont les revenus sont trop au-dessus ou en deçà des vôtres, car des dynamiques de pouvoir indésirables pourraient se développer entre vous;

>> Les asociaux à tendance misanthrope, toujours dérangés par les autres (ou méprisants, à la limite). D'ici à ce qu'ils se socialisent un peu, ils sont plus qualifiés pour la vie solitaire ;

>> Les dépendants affectifs qui attendent trop de la colocation et de leurs colocs. Vous ne voudrez pas écouter leurs confidences à toute heure du jour ou de la nuit, ni provoquer de psychodrame au moindre mot irréfléchi ;

>> Les paresseux ou les traîneux, ceux qui ne se ramassent pas, qui ne remplaceront pas le litre de lait qu'ils ont vidé ou qui ne feront jamais leur vaisselle, malgré des injonctions répétées. Ce genre de trait peut être plus difficile à détecter au premier coup d'œil, mais si votre interlocuteur vous laisse une impression de je-m'en-foutisme généralisé, tâchez de garder vos distances.

Les meilleurs amis font-ils les meilleurs colocs ?

À cette question épineuse, on est obligé de répondre par un vague : *ça dépend* ! Les amitiés sont parfois construites d'absolu peu compatible avec les aléas du quotidien. Le pacte du « on se dit tout et on ne se cache rien » se vit mieux à petites doses... D'autant plus que la cohabitation vous fera découvrir chez votre ami (et lui chez vous) des comportements et des habitudes que vous ne connaissiez pas. Qu'il s'agisse de personnes de la famille ou d'amis intimes, il faudra mettre un frein aux passions de l'esprit critique et faire usage de tolérance comme avec n'importe quel coloc. Dans le même ordre d'idées, il vaut sans doute mieux, pour des raisons d'équilibre, y penser deux fois avant d'entrer en colocation avec un couple (ou en tant que couple avec des colocataires). Quant à la colocation mixte (où se mélangent les garçons et les filles), entendez-vous le plus tôt et le plus précisément possible sur le partage des tâches, l'entretien ménager et le respect de l'intimité. Favorisez les personnes avec qui vous entretenez des rapports neutres, dépourvus d'ambiguïté quant au désir, par exemple, que vous éprouvez pour certaines personnes. Dans le choix de ses colocataires, il vaut mieux privilégier la stabilité que les situations qui comportent un haut potentiel affectif.

Une entente écrite

Si vous croyez avoir trouvé les bons compagnons et que vous êtes prêts à vous lancer, il serait important, tout d'abord, que vous prépariez ensemble et que soit écrite et signée une **convention de colocataires** sur laquelle vous pourrez vous baser afin d'assurer une colocation harmonieuse. Voici une liste de critères et de choix qui permettra de guider les vôtres :

Paiement du loyer

>> Le montant du loyer se divise à parts égales entre les colocataires. Mais si les chambres sont de grandeurs différentes, le montant se répartit en portions variables selon la grandeur de la chambre occupée (par exemple, celui qui occupe la plus grande chambre paie davantage et l'occupant de la plus petite paie moins.) *Inclure les noms de chaque coloc et le montant attribué.*

>> Autres considérations.

Gestion des dépenses de services

À qui est attribué chaque compte de service comme le loyer, l'électricité, le forfait téléphone-câble-Internet, etc. ? Combien de lignes téléphoniques votre appartement comportera-t-il ? Répartissez-vous la responsabilité du paiement de chaque compte et assurez-vous de remettre à la personne responsable le paiement de votre part.

Nourriture

>> Chaque coloc doit se procurer sa nourriture et ne pas utiliser celle des autres.
ou

>> Chaque coloc doit se procurer sa propre nourriture, mais les aliments de base sont partagés (*inclure une liste des aliments de base, comme la farine*).
ou

>> La nourriture est consommée et partagée en commun, incluant les coûts (*il faudra alors faire un tour de cuisine : qui prépare la nourriture, qui la paie et quand.*)

>> Autres considérations.

Bruit et musique

>> Du lundi au vendredi, il ne devrait pas y avoir de bruit ni de musique en soirée après _____ h et le matin avant _____ h.

>> Le bruit doit être évité en tout temps pour créer un climat propice à l'étude.

>> Le bruit et la musique sont évités uniquement à la demande d'un colocataire.

>> Autres considérations.

Présence de tiers, les visites

>> Politique ouverte : chacun peut recevoir de la visite sans avoir à prévenir les autres.

>> Les colocataires peuvent recevoir leur chum ou leur blonde _____ nuit par semaine (*ou, par exemple, uniquement le vendredi et le samedi*).

>> Le séjour d'un invité ne doit pas se prolonger au-delà de _____ heures ou _____ jours.

>> Les colocataires peuvent recevoir qui ils veulent quand ils veulent, mais après avoir consulté les autres.

>> Autres considérations.

Fêtes, les partys

>> L'appartement peut être utilisé pour des fêtes, des réceptions ou des partys au maximum _____ fois par _____ (semaine ? mois ?).

>> Pas de règlement précis, mais il faut avoir consulté les autres colocataires (de préférence _____ jours à l'avance).

>> Les réceptions, les fêtes et les partys ne doivent avoir lieu que les fins de semaine.

>> Autres considérations.

Chambres individuelles

>> Seul celui ou celle qui occupe la chambre a le droit d'y accéder.

>> Les autres colocataires peuvent accéder à la chambre d'un colocataire en son absence et emprunter du matériel, à condition de l'en aviser par écrit.

>> Autres considérations.

Ce qui peut être emprunté, ce qui ne peut l'être

Chacun pourra dresser une liste de ce qu'il est disposé à prêter (livres, CD, etc.) et ce qu'il n'est pas disposé à prêter (par exemple, les vêtements, la brosse à dent, les serviettes : généralement les objets qui ont un contact intime avec le corps).

Établir une « cagnotte » ou pas ?

Vous voudrez peut-être, entre colocs, contribuer à une « caisse commune » qui pourra servir, par exemple, à acheter des produits communs (produits de nettoyage, papier hygiénique, dentifrice, etc.) ou à financer des soupers communs et des fêtes. Fixez alors un montant mensuel (hebdomadaire ou autre) de cotisation, et précisez à quoi cet argent peut servir.

En cas de bris de meuble ou d'appareil

>> C'est le propriétaire du meuble ou de l'appareil brisé qui est responsable de le réparer.

>> C'est le colocataire qui a brisé le meuble ou l'appareil qui est responsable de le réparer.

>> Tous les colocataires sont solidairement responsables de réparer le bien qui a été brisé.

>> Autres considérations.

Assurances

>> Chaque colocataire se procurera une police d'assurance biens meubles comprenant une clause de responsabilité civile. (*Il est alors conseillé que chacun se procure une police d'assurance auprès du même assureur, afin de prévenir les conflits de responsabilité.*)

>> L'ensemble des colocataires se partagera les coûts d'une assurance commune.

>> Autres considérations.

Liste des meubles et des appareils

Pour éviter les accrochages ou pour aider à estimer le montant de votre police d'assurance, chaque colocataire dressera la liste des meubles et des appareils qui lui appartiennent, en précisant s'il le destine à son usage exclusif (comme son ordinateur) ou à l'utilisation collective (comme de la vaisselle, un aspirateur ou d'autres appareils électroménagers, très encombrants si chacun possède le sien !). La liste pourra être mise à jour au gré des acquisitions de chacun.

Si un colocataire doit quitter le logement avant les autres, il devra retirer tous ses effets personnels de l'appartement, à moins d'une entente contraire.

Affichez vos emplois du temps

Pour une meilleure synchronisation des tâches ou pour recevoir des visites en diminuant les risques de déranger, pourquoi ne pas afficher sur un babillard commun votre emploi du temps de la semaine ou du mois ? Vous pourrez ainsi mieux coordonner vos horaires. De plus, chacun pourra afficher son calendrier de session, pour informer ses colocataires des moments où il devra étudier plus intensément pour préparer un examen, une présentation ou un travail écrit. Vous tiendrez davantage compte des occupations des autres et personne ne pourra vous reprocher de n'avoir dit à personne que vous avez un oral à finir dans deux jours !

Un document utile : la liste de répartition des tâches

Les tâches ménagères ne font de cadeau à personne et nombre d'entre elles sont à refaire périodiquement – soit tous les jours, toutes les semaines ou tous les mois. Et s'il est logique que chacun ait la responsabilité de laver sa vaisselle sans délai, d'autres tâches méritent d'être précisément définies. Pour vous, le nettoyage de la salle de bains consiste-t-il seulement à y passer un simple coup d'aspirateur ou préférez-vous que les planchers, la baignoire et le rideau de douche soient désinfectés en profondeur chaque semaine ? Dans de tels cas, tâchez d'arriver ensemble à une définition claire de ces tâches et attribuez-en la responsabilité équitablement. Les tâches peuvent être les mêmes pour chaque personne pendant toute l'année, comme elles peuvent faire l'objet d'une rotation.

Voici un exemple de grille fixe de repartitions de tâches :

Grille FIXE de répartition des tâches

Tâche	Périodi-cité	Respons-able	Date d'exécution				
Nettoyage salle de bains	1 x 7 jours	Zoé	16-06	23-06	30-06	07-07	14-07
Nettoyage cuisine	1 x 7 jours	Valérie	16-06	23-06	30-06	07-07	14-07
Nettoyage salon/ couloir	1 x 7 jours	Robert	16-06	23-06	30-06	07-07	14-07
Recyclage	Jeudi avant 9 h	Félix	13-06	20-06	27-06	04-07	11-07
Poubelles	Mardi et vendredi avant 9 h	Dominique	11-06 14-06	18-06 21-06	25-06 28-06	02-07 05-07	09-07 12-07
Autres							

Et voici à quoi peut ressembler une grille « variable » de répartition des tâches pour 5 colocataires. Nous sommes à la 2e semaine de juillet, mais les tâches sont déjà réparties pour tout le mois.

Grille VARIABLE de répartition des tâches

Tâche	Périodicité	Responsables + dates d'exécution				
Nettoyage salle de bains	1 x 7 jours	Zoé 7/7	Dom. 14/7	Fél. 21/7	Rob. 28/7	Val. 4/8
Nettoyage cuisine	1 x 7 jours	Val. 7/7	Zoé 14/7	Dom. 21/7	Fél 28/7.	Rob. 4/8
Nettoyage salon/couloir	1 x 7 jours	Rob. 7/7	Val. 14/7	Zoé 21/7	Dom. 28/7	Fél. 4/8
Recyclage	Jeudi avant 9 h	Fél. 4/7	Rob. 11/7	Val. 18/7	Zoé 25/7	Dom. 1/8
Poubelles	Mardi et vendredi avant 9 h	Dom 2 + 5/7	Fél. 9 + 12/7	Rob. 16 + 19/7	Val. 23 + 26/7	Zoé 30/7 + 2/8
Nettoyage frigo	Toutes les premières semaines du mois	Dom. 1/7	–	–	–	Fél. 5/8
Autres						

Quelques conseils

Il est vrai que tout n'a pas besoin d'être écrit pour devenir une règle ou définir les principes d'une bonne cohabitation. Il suffit parfois de s'entraîner à penser aux autres et faire preuve de bon sens – des habitudes qui ne sont pas également acquises chez tous ! Les personnes qui ont des comportements dérangeants ne se rendent pas toujours compte des ennuis qu'ils causent. Peut-être ont-ils reçu une éducation d'« enfant-roi » où, centre de l'attention de leurs parents, ils n'ont jamais eu à se donner le mal de prêter attention aux personnes de leur entourage. Ne vous étonnez donc pas si, avec certains colocs, vous devez vous évertuer à expliquer plusieurs fois pourquoi leur comportement cause problème, par exemple en vous empêchant de travailler. Peut-être finiront-ils par comprendre.

Tôt ou tard, l'apprentissage de la vie adulte impose aussi l'acquisition d'un certain sens de l'empathie et du respect. Et ces qualités commencent par une règle très simple : *tâchez de ne pas faire aux autres ce que vous n'aimeriez pas qu'on vous fasse*. C'est évident, n'est-ce pas ? Maintenant, voici quelques indices de la façon dont vous pouvez appliquer ce principe dans le quotidien :

>> De manière générale, remettez à sa place tout ce que vous avez déplacé.

>> De même, nettoyez et rangez vos ustensiles de cuisine après avoir fini de les utiliser.

>> Après avoir utilisé la baignoire, nettoyez-la et séchez-en les murs chaque fois.

>> N'entrez pas inopinément dans la chambre d'un colocataire sans frapper.

>> Vous empruntez quelque chose en l'absence d'un coloc ? Laissez-lui une note qui vous identifie et qui identifie l'objet en question. Il ne s'inquiétera pas de l'avoir perdu et ne se mettra pas à le chercher partout.

>> Si vous videz le litre de lait commun pendant que vous déjeunez, remplacez-le sans tarder, avant que les colocs ne se réveillent.

>> Évidemment, même règlement si vous vous servez dans les provisions de vos colocs sans autorisation pour vous dépanner : remplacez-les.

>> Si vous partagez une voiture, ne videz pas le réservoir d'essence sans faire le plein avant de la rendre aux autres.

>> À moins d'être sûr que cela ne dérange personne, n'organisez pas de soirées improvisées entre amis à la dernière minute.

>> Si un coloc est agressif avec vous pour quelque raison que ce soit, n'en rajoutez pas et tâchez de garder votre calme.

>> Essayez d'orchestrer vos vacances de manière à ce que vous et vos colocs ne vous absentiez pas tous au même moment. Ils pourront profiter de l'espace en votre absence (et vous de la leur).

>> Respectez les rythmes de sommeil de chacun : ne faites pas de bruit quand quelqu'un dort.

>> Fixez une durée maximale d'utilisation de la salle de bains (ou même faites une rotation des utilisateurs). Si vous avez tendance à l'investir au même moment de la journée, soyez bref... Et ne monopolisez pas tout le contenu du réservoir d'eau chaude.

>> N'invitez pas votre petit ami ou votre petite amie à rester si longtemps qu'il ou elle deviendra un squatteur – partageant tous les conforts de l'appartement sans en assumer les frais !

>> Ne prenez pas l'habitude d'emprunter ou de prêter de l'argent à vos colocataires.

>> Si un conflit se présente, tâchez de le résoudre aussitôt : ne laissez pas les griefs s'accumuler.

Et voilà... cette liste n'est sans doute pas complète, mais en en respectant les principes et en sollicitant la bonne volonté de tout le monde, vous tirerez certainement le meilleur parti de votre expérience de colocation... en sachant éviter le pire.

Chapitre 3
Déménager

Zoom sur…

Vincent

Au premier coup d'œil, l'intérieur était dans un désordre incompréhensible que la propriétaire expliqua comme suit : après quelques mois de cohabitation, le chum de la locataire actuelle avait pris la clé des champs et l'avait laissée seule, cette dernière ne semblait plus s'occuper de rien.

Incroyable, se disait Vincent.

Dans le couloir qui donnait sur l'entrée, une chaise que recouvrait une montagne de linge sale (au milieu de laquelle dépassait ce qui semblait être un emballage entamé de pilules contraceptives) accueillait les visiteurs. À sa droite, la chambre à coucher révélait un lit défait à côté d'une commode sur laquelle trônait une télévision HD et encore, entassé partout ou jeté par terre au hasard, du linge sale de toutes les couleurs, à s'en habiller pour des semaines sans porter deux fois la même chose. C'est l'appartement de quelqu'un « qui ne se ramasse pas », se dit-il ; à l'abandon comme l'était sans doute le cœur de cette fille. Vincent trouva triste qu'on puisse « occuper » un appart sans se soucier de s'en occuper un peu, pas tant par respect pour le bien loué que par respect de soi-même.

— Imaginez quand tout ça sera parti, vous verrez qu'on peut être bien ici, dit la propriétaire.

Vincent a alors tâché d'oublier le désordre, mais il a quand même remarqué la saleté des murs et des fenêtres, et le fait qu'il manquait une porte au vestibule ; bonjour le froid, se dit-il. Il a demandé depuis combien de temps la locataire était là et il a été surpris d'apprendre que ça ne ferait qu'un an le 1er juillet.

Dans l'autre partie de la pièce double, le même désordre, le linge partout, entassé sur le divan, et c'était sombre. Les murs de la salle de bains présentaient des taches de moisissures. Puis ils sont passés dans la cuisine. Une pièce assez bien éclairée (les électros appartenaient à la locataire) ; il a alors remarqué que le garde-manger et qu'une armoire étaient posés par terre, ce qui ne lui plaisait pas vraiment. Une sorte de grosse boîte en bois munie d'une porte dissimulait le réservoir à eau chaude. Quand il a inspecté l'armoire sous l'évier, il n'y a pas trouvé d'indices de la présence d'insectes. Par contre, il a vu qu'il n'y avait pas de comptoir. Il faudrait qu'il cuisine sur sa propre table. Il actionna les robinets pour constater que ceux-ci n'étaient pas collés à l'évier, qu'il y avait du jeu.

— Oh, j'ai assez hâte qu'elle parte pour arranger tout ça, dit la propriétaire.

Mais Vincent avait de gros doutes. Il avait l'impression que la dame voulait faire passer tous les problèmes de son logement sur le dos de sa locataire, des problèmes qui devaient en partie être déjà là avant qu'elle arrive. Les luminaires brisés, les taches de moisi, les portes d'armoire croches, est-ce que c'était vraiment sa faute ?

Ils sont redescendus par l'escalier extérieur, qui était si raide que la pensée d'y faire monter un réfrigérateur et un four terrifiait Vincent. La propriétaire habitait au rez-de-chaussée et comme Vincent lui avait dit (davantage pour être poli que par conviction) qu'il rappellerait, elle lui a demandé de l'attendre. Elle entra chez elle dans un concert d'aboiements agressifs que l'apparition de Vincent provoquait (il reconnut la robuste silhouette de deux pit-bulls ou de deux mastiffs, à peine ramenés au calme par les injonctions du mari en fond sonore. Vincent n'aimait pas ce genre de chiens). La propriétaire est revenue avec un contrat de location vierge – tenez, vous remplirez ça – où figuraient des demandes d'informations qu'il n'avait pas envie de divulguer, comme son numéro d'assurance sociale.

— Vous n'êtes pas obligé de remplir tout si ça vous embête, tenta-t-elle de le rassurer.

Ils se sont quittés sur un au revoir peu convaincu. Et Vincent, étourdi et découragé, est allé marcher sur une rue adjacente. Avoir fait tout ce trajet pour ça ! ?

Il a alors vu un écriteau « à louer » sur une porte :

3½, r.d.c., semi-meublé, 398 $, appeler....

Seulement 398 $? Vincent avait à peine commencé à noter le numéro de téléphone de l'annonce qu'il se dit qu'il n'avait rien à perdre à aller frapper à la porte. Un homme dans la trentaine lui ouvrit.

— Excusez-moi de vous déranger, a fait Vincent. Je suis de passage dans le coin, je me cherche un appartement et j'ai vu l'écriteau. Est-ce que je peux visiter ?

— Le propriétaire n'est pas là, mais je peux te faire visiter, si tu veux. Moi, c'est Pierre, dit l'homme en lui tendant la main.

*

Zoé et Valérie

— Ô Anne, chère Anne, que voyez-vous venir de bon au rayon des actualités économiques ? Vous savez combien je déteste dépenser plus de 30 $ par mois en fond de teint et en rouge à lèvres, et autres articles du genre, dit Valérie à Zoé sur un ton théâtral.

— Eh bien, chère Gudrun, il semblerait que le cours du papier de toilette, de l'essuie-tout, des tampons ainsi que d'autres tissus absorbants soient en baisse dans les pharmacies, comme c'est souvent le cas, ce qui représente de l'épargne pour nous, dit Zoé, en feuilletant les circulaires.

— Je remarque également un rabais sur les substituts de repas liquides, pratiques en période d'étude intense, et peut-être vous plairait-il de savoir qu'on affiche moitié prix sur le cours de l'aspirine ? »

— Arrière, scélérate, nous ne nous gavons point de cachets pour des peccadilles, car nous sommes faites plus fortes que ça, déclama Valérie. Mais dites-moi donc, chère amie, êtes-vous bien sûre que ces Robert et Félix soient des garçons assez corrects pour devenir nos colocs ?

— Point n'est à craindre, ô douce amie, ce sont des garçons bien, d'autant plus que Félix a reçu en dot une laveuse et un réfrigérateur, qu'il laissera volontiers à la disposition de ses camarades. Quant à Robert, il suffit de ne pas se formaliser qu'il ait installé une serrure à la porte de sa chambre pour qu'on n'y entre point pour y emprunter quelque chose, car hors cette serrure, il partage tout et est d'une nature amène, quoique discrète. On raconte qu'une certaine Albertine s'était offusquée jadis qu'il déclare, cadenas à l'appui, sa chambre hors d'accès aux intrus. Il faut dire que sitôt que quelqu'un lui empruntait quelque chose en son absence en ayant l'étourderie de ne pas l'en aviser, il en déduisait l'avoir perdue dans un accès de démence sénile précoce, se croyant déjà à l'article des oublis de la vieillesse, lui pourtant si jeune, et s'en tourmentait en silence jusqu'à ce qu'il découvre que la santé de son cerveau n'était pas en cause. Je dois vous avouer que des maintes fois où l'on m'offrit gentiment le gîte là-bas, j'assistai, une fois, à une scène de colère autour d'un objet disparu. C'est la seule fois que je le vis dans cet état, dit Zoé.

— Mais alors, dites-moi honnêtement, est-ce cette pointe d'irascibilité qui incita Albertine et Gilberte à se pousser ?

— Je n'en crois rien, je pense qu'elles se sont simplement découvert d'autres passions que celles que nous avons tous là-bas pour le théâtre et qu'elles préfèrent, dorénavant, se tenir loin des personnes trop théâtrales. À nous de prendre la relève. On signe le bail dans deux jours, car le propriétaire tient à ce que chaque fois que des nouveaux colocs arrivent, ils se déclarent solidairement responsables du loyer, répondit Zoé.

— Ça me va, annonça Valérie, mais qu'est-ce qu'on fait pour le camion ?

— Le frère d'Albertine essaie d'en réserver un, mais l'entreprise de déménagement insiste pour faire affaire avec une personne d'au moins 25 ans, dit Zoé. On va te déménager, toi, moi et les deux filles, mais je ne pense pas qu'il y aura grand-chose à transporter. Appelle quand même tes amis, pour du renfort, a-t-elle ajouté. Bon ! On recommence ? Cet Hippolyte… ?

Les différents types de déménagement

Début juillet, Vincent déménagera dans l'ancien appartement de Pierre ; Valérie et son amie Zoé se joindront à deux colocs déjà installés près du cégep ; quant à Pierre et Nadine, ils déménageront dans leur nouveau logis. Nous avons vu que déménager est en soi un long processus qui comprend la recherche d'un logement et la signature d'un bail, l'acquisition d'appareils, de meubles et de nombreux articles nécessaires qui varient selon les besoins de chacun. Or, il faut aussi régler la question du transport en prévision du jour J.

Il y a fort à parier que votre propre déménagement ressemblera à l'un de ces trois scénarios :

1. Valérie et Zoé, feront équipe avec des amis pour tout déménager elles-mêmes à l'aide d'un camion loué. C'est le déménagement classique qui se fait « entre amis », où chacun est récompensé à la fin de la journée par un festin de pizza.

2. Vincent, dont le père utilisera sa propre camionnette pour transporter les quelques possessions de son fils. Un déménagement « à la bonne franquette » quand on ne possède pas encore un « patrimoine » bien lourd, ce qui est souvent le cas quand on emménage dans son premier appartement.

3. Pierre et Nadine, qui retiendront les services d'une firme de déménageurs professionnels pour leur confier leurs électroménagers et leurs meubles assez lourds. En principe, recourir à ce genre de service devrait vous assurer d'une certaine tranquillité d'esprit, mais encore faut-il confier la tâche aux bonnes personnes et être prêt à y mettre le prix, car un déménagement n'est pas le genre d'événement où les aubaines doivent primer sur la qualité du service.

Dans cette section, nous vous offrons :

» des informations utiles sur le choix d'un déménageur

» de suivre (sur cinq mois !) toutes les étapes de la préparation d'un « gros déménagement » (celui de Pierre et Nadine), pour vous aider à préparer le vôtre. Ne négligez pas de lire cette section, car même si vous n'engagez pas des professionnels pour déménager, vous y découvrirez des tâches importantes à faire (comme signaler vos changements d'adresse)

» des conseils pour bien équiper votre appartement et vous y installer.

Choisir un déménageur

Un déménagement est un événement qui se prépare longtemps à l'avance, particulièrement si vous prévoyez déménager entre le 15 mai et le 15 juillet, soit la période de l'année la plus occupée en matière de déménagement. Dès lors, les tarifs des déménageurs et les prix de la location des camions augmentent. Il est donc nécessaire de trouver, dès que possible, l'entreprise avec laquelle vous ferez affaire et de réserver ses services. **Si le déménagement est prévu pour la haute saison, n'hésitez pas à réserver les services d'un déménageur professionnel de 3 à 4 mois à l'avance**. Assurez vous de faire un choix éclairé en contactant plusieurs entreprises pour vérifier leur disponibilité et comparer leurs offres.

Trouver un déménageur – et le *bon* – n'est pas chose facile. D'emblée, méfiez-vous des entreprises qui offrent des services de déménagement « à prix d'ami» et qui ne vous donnent, pour toute information, qu'un numéro de téléphone. Ce sont souvent des **déménageurs amateurs** pour qui la « haute saison» représente une occasion d'augmenter leurs revenus. Derrière les prix alléchants qu'ils proposent parfois, aucun service n'est vraiment garanti, les dommages ou les accidents ne sont pas assurés, pas plus que la ponctualité du déménageur… qui peut très bien ne pas se présenter chez vous à la date indiquée. Ça s'est déjà vu.

Le bouche à oreille peut être efficace. Cherchez les témoignages de gens fiables qui ont eu de bonnes ou de mauvaises expériences avec leurs déménageurs et notez leurs commentaires. Vous devriez joindre au moins trois entreprises afin de procéder à une évaluation des coûts du déménagement.

Bon à savoir

Pour un déménageur de confiance, choisissez une entreprise inscrite dans le répertoire de la **Commission des transports du Québec** (CTQ)[9].

L'évaluation des coûts du déménagement

Pour obtenir une bonne évaluation des coûts de votre déménagement, soyez aussi précis que possible lorsque vous parlerez avec le représentant. Décrivez en détail les lieux que vous quittez et ceux où vous vous installerez. Déménagez-vous à l'étage ou au rez-de-chaussée ? Y a-t-il des escaliers intérieurs ou extérieurs ? Quelle sera la distance à parcourir entre les deux appartements ? Précisez le nombre de pièces de l'appartement, dites s'il y a présence d'électroménagers et de gros meubles à transporter, etc. Demandez également si l'entreprise impose un tarif minimum. Point important : demandez des détails concernant la **protection offerte par le déménageur**

---

9. www.ctq.gouv.qc.ca/

(assurance biens et assurance responsabilité civile) en cas de dommage ou d'accident. Un bon déménageur devrait garantir la qualité de son service en incluant une protection contre les bris ou les accidents en cours de déménagement. Cependant, cette protection peut comporter certaines limites (par exemple, si vous emballez vos objets vous-mêmes et que l'un d'eux se brise, le déménageur pourrait se déclarer non responsable). Demandez-lui quelle serait la couverture en cas de perte ou de bris de certains objets en cours de déménagement. Demandez-lui aussi s'il y a une compensation prévue pour les dommages causés au nouveau logement par la faute d'un déménageur. Vérifiez si des plaintes ont déjà été portées contre l'entreprise en vous renseignant sur le site Internet de la CTQ.

Si possible, choisissez une entreprise près de chez vous, car le temps que les déménageurs prendront pour se rendre à votre domicile et retourner à l'entrepôt vous sera facturé.

Conclure le contrat

Ce genre d'évaluation se conclut habituellement par téléphone : dans pareil cas, le déménageur sera tenu de vous fournir une version écrite de votre entente dans les 15 jours suivant la conclusion de celle-ci. Si un représentant vient chez vous, demandez-lui de vous remettre une évaluation écrite, même s'il n'est pas légalement tenu de le faire. Un contrat écrit que vous pourrez conserver en guise de preuve de votre entente vous permettra de vérifier si le service obtenu a respecté les termes de votre entente et pourra vous servir de preuve en cas de litige.

Voici les renseignements que vous devez avoir obtenu avant de conclure le contrat :

» Les coordonnées complètes de l'entreprise de déménagement (nom, adresse, numéro de téléphone, numéro d'inscription au registre de la CTQ ainsi que numéros de taxes) ;

» La description des services offerts par l'entreprise ;

» Le coût total des services que vous aurez à payer et le montant des mensualités du paiement (si cela s'applique) ;

» La date et l'heure du déménagement ;

» Les conditions d'annulation du contrat ;

» Les détails concernant la **protection offerte en cas de dommage ou d'accident** (ne vous contentez pas de vous faire dire que votre déménageur est assuré : demandez-lui quel est son assureur et vérifiez-le) ;

>> Informez-vous toujours des modalités de paiement (en liquide, par carte de débit, par chèque ou carte de crédit, par exemple);

>> Toute autre condition ou restriction applicable.

De fait, une fois que vous avez le contrat, vérifiez avec précision si tous les termes de l'entente conclue entre vous et le déménageur sont là, tels que:

>> Le tarif horaire (à l'heure) ou forfaitaire;

>> La date et l'heure prévues du déménagement;

>> Le nombre de déménageurs présents;

>> Les dimensions du camion;

>> Les détails du calcul du coût total du contrat;

>> Le montant du dépôt effectué lors de la conclusion de l'entente (si applicable).

Si le déménageur vous a demandé de faire un dépôt avant le déménagement, assurez-vous d'en obtenir la facture complète avec signature lisible.

Prévoir les frais additionnels

En période de pointe particulièrement, il est fréquent que les déménagements prennent parfois plus de temps que leur durée estimée ou que votre chef d'équipe vous «révèle» que les objets transportés ont un surplus de poids par rapport à ce qui avait été estimé. Il vous demandera alors de payer des frais supplémentaires (pouvant s'élever à quelques centaines de dollars). Afin de pouvoir «honorer» ces frais (quitte à les contester par la suite), assurez-vous de disposer d'une marge de crédit ou de fonds suffisants. Souvenez-vous qu'un déménageur peut garder certains de vos objets «en garantie» jusqu'à ce que vous ayez payé ces frais.

Si vous n'acceptez pas de payer ces frais (refuser pourrait vous contraindre à continuer le déménagement seul), vous pouvez payer le montant sous réserve qu'on inscrive la mention «sous protêt» sur la facture ou sur le chèque remis au déménageur. Vous devrez ensuite envoyer une mise en demeure au déménageur pour réclamer la somme excédentaire. Il existe certaines ressources, en cas de sur-facturation ou de dommages causés à vos biens pendant le déménagement, pour vous aider à exercer un recours et à présenter une demande à la Cour des petites créances, consultez le site de l'Office de la protection du consommateur du Québec.

Attention au calcul

Assurez-vous que l'entreprise de déménagement a bien indiqué le prix du déménagement sur le contrat. Vous facturera-t-elle, par exemple, 175 $ l'heure pour le service rendu, et non 175 $ l'heure par déménageur présent ? Détenir des informations précises peut éviter bien des mauvaises surprises.

Éventualité d'un retard

Durant la haute saison – aux alentours du 1er juillet –, il est fréquent que les déménageurs ne se présentent pas sur les lieux à l'heure indiquée dans le contrat. Votre déménageur doit vous aviser de la possibilité d'un tel retard dans le contrat. Autrement, il est tenu de vous fournir un service conforme aux termes de l'entente que vous avez conclue.

Notez tout

Boîtes malmenées, appareils brisés, poignées de porte endommagées : si des bris surviennent en cours de déménagement, assurez-vous de les noter sur la facture de service. Avant de signer la facture, vérifiez l'état de vos meubles, et indiquez toutes les observations pertinentes : dommages, égratignures, pièces manquantes, etc. En cas de réclamations, ces observations vous seront utiles.

Chronologie d'un gros déménagement

Pierre et Nadine forment un couple, mais chacun vivait jusqu'à présent dans son propre appartement ; ils ont décidé d'emménager ensemble dans un nouveau logis. Pour l'occasion, ils ont retenu les services d'une équipe de déménageurs professionnels, à laquelle s'ajoutera quelques amis venus prêter main-forte. Ils ont quelques déménagements à leur actif et savent qu'il vaut mieux se préparer plusieurs mois à l'avance. Leur stratégie s'est ainsi répartie sur 5 mois, de février jusqu'à leur déménagement prévu pour le 20 juin. Voici comment ils ont procédé :

De février à mars

›› Les propriétaires respectifs de Pierre et de Nadine sont avertis que les baux ne seront pas reconduits le 1er juillet.

La Régie du logement accorde au locataire un délai de **3 mois ou plus** (soit de 3 à 6 mois) avant la fin du bail pour signifier au propriétaire que le bail ne sera pas reconduit.

>> Le couple discute du genre d'appartement qu'il cherche. Les deux savent déjà qu'ils loueront un logement non meublé (Nadine possède un réfrigérateur et un four) et déterminent qu'il devrait comporter une chambre d'amis, deux bureaux pour le travail à domicile, une chambre à coucher, un salon, la cuisine et un espace de lavage pour les éventuelles laveuse et sécheuse. Il leur faut donc un 6 ½ ou un 5 ½ spacieux. Parce qu'ils le veulent bien éclairé, l'appartement sera cubique, plutôt que rectangulaire ; des fenêtres devront se trouver sur au moins deux côtés opposés de l'appartement pour maximiser l'éclairage naturel. Ils sont prêts à mettre 1000 $ par mois de loyer, au total. Ils commencent leurs recherches.

>> Plus de 3 semaines et 5 visites plus tard, ils trouvent un appartement un peu éloigné de l'université que fréquente Nadine, mais le quartier est bien desservi par le transport en commun. L'appartement est libre à compter de la mi-juin. Le propriétaire semble de bonne foi et de bonne volonté : malgré la clause «pas d'animaux», il se laisse convaincre que Maître Gaspard, le paisible chat d'intérieur de Nadine, ne présente pas de risque pour l'appartement ou pour les autres locataires. Le bail est signé.

Fin mars

>> La recherche d'une entreprise de déménagement commence. Une amie de Nadine lui parle d'une entreprise qu'elle a engagée l'année précédente, en haute saison (mi-juin). L'équipe s'était même occupée de déménager son piano avec une grue (ce qui a représenté, seulement pour le piano, des frais de 1000 $), en plus des meubles et de plus d'une centaine de boîtes. Les références semblent bonnes ; il n'y a eu aucun problème.

>> Pierre lui demande une soumission et explique qu'il y a deux déménagements à faire (le sien et celui de Nadine), des appareils électroménagers à transporter, un lit très grand format, probablement 200 boîtes contenant surtout des livres, et d'autres détails, pour le 20 juin. L'estimation s'élève à 200 $ l'heure pour 7 heures et une équipe de 3 personnes plus le camion, pour un total de 1400 $. Après avoir vérifié les assurances déménagement de l'entreprise et demandé quelles précautions prennent les déménageurs contre les punaises de lit, Pierre a conclu une entente verbale. Il restera à recevoir et à vérifier les détails de l'entente écrite.

En avril et en mai

>> La version écrite du contrat arrive par la poste ; Pierre vérifie que les termes de l'entente écrite correspondent bien à ceux qui ont été conclus verbalement avec le déménageur. Il a été entendu entre eux qu'il pourrait faire corriger l'entente dans les 7 jours suivant la réception de l'entente écrite s'il y avait erreur, mais tout semble en règle.

>> Nadine et Pierre s'affairent à recenser leurs biens et à prévoir comment disposer du surplus (deuxième batterie de cuisine, linge de maison, planche à repasser, etc.) pour alléger la charge des objets à transporter. Pierre vérifie sur Internet si des organismes humanitaires faisant la collecte de meubles et de gros objets desservent son quartier et quels sont les horaires de cueillette.

>> Chacun fait le tri de ses livres et de ses vieux papiers. Les relevés de compte qui datent de plus de cinq ans sont recyclés. Tous les deux mettent de côté la plupart des vêtements qu'ils n'ont pas portés dans les douze derniers mois pour les donner à un organisme communautaire.

>> Ils effectuent leurs changements d'adresse.

Liste pour les changements d'adresse

>> Agence et ministère du Revenu
>> Assureurs
>> Banques
>> Câblodistributeur
>> Employeurs et clients
>> Famille et amis
>> Fournisseur de gaz (Pierre : faire fermer le compte)
>> Fournisseur de services téléphoniques
>> Fournisseur de services Internet
>> Hydro-Québec
>> Postes Canada (aussi : faire suivre le courrier)
>> **Service québécois de changement d'adresse**[10]
>> Société de cartes de crédit
>> Université

---

10. Le Service québécois de changement d'adresse permet d'aviser en une seule fois, par Internet, par téléphone ou en personne, six ministères et organismes d'un changement d'adresse: le Directeur général des élections du Québec, le ministère de l'Emploi et de la Solidarité sociale, Revenu Québec, la Régie de l'Assurance maladie du Québec, la Régie des rentes du Québec et la Société de l'assurance automobile du Québec. (Source: www.gouv. qc.ca/portail/quebec/servicesquebec/ensemble-services/sqcà/?lang=fr)

>> Le couple surveille les aubaines sur les électroménagers (laveuse et sécheuse) et les meubles. Ils demandent au propriétaire la dimension des fenêtres en vue d'y poser des rideaux ou des stores.

En mai et en juin

>> Le remplissage des boîtes commence avec les choses que Pierre et Nadine n'utiliseront pas au cours des prochaines semaines. Des amis qui avaient conservé leurs boîtes après leur propre déménagement leur en fournissent. Une amie de Nadine, employée dans une papeterie, lui en apporte plusieurs. Un appel général aux boîtes est lancé dans les réseaux sociaux…

>> Les boîtes ne doivent être ni trop lourdes ni trop grosses (à moins que ces dernières contiennent des choses légères), bien fermées et collées avec du ruban gommé résistant d'environ 4 cm de largeur. Les boîtes sont ensuite identifiées avec un crayon feutre indélébile foncé. On indique sur le côté ce qu'elles contiennent et dans quelles pièces elles iront.

>> Deux boîtes sont destinées aux objets fragiles, elles seront transportées « personnellement » dans la voiture d'un ami de Nadine. Ces boîtes comprendront aussi, dans une enveloppe, les preuves d'achat des articles importants comme les ordinateurs, qu'il vaut mieux conserver pour les garanties et les assurances.

Une semaine avant

>> Les étagères sont décrochées, on rebouche les trous des murs avec un produit approprié. Pierre, qui a longtemps fumé, nettoie son plafond et ses murs en y passant une vadrouille-éponge humide, soigneusement tordue pour éliminer l'excédent d'eau savonneuse. Les murs perdent de leur couleur jaune, retrouvent un peu de leur blancheur. On nettoie les fenêtres et, chez Nadine, une moustiquaire endommagée par les griffes de Maître Gaspard est remplacée.

>> Le chat est confié à une amie de Nadine qui s'en occupera pendant cette dernière semaine de préparatifs. L'amie se fait confier aussi les disques durs externes de Pierre et Nadine, contenant une copie de sauvegarde, mise à jour, de leurs données informatiques.

>> Les bibliothèques et les électroménagers neufs sont réservés auprès des fournisseurs qui les livreront dans la première semaine suivant le déménagement.

>> Dans les appartements, les boîtes sont disposées de manière à dégager le passage des gros meubles et des appareils électroménagers, qui sont généralement les premiers à être chargés dans le camion de déménagement.

Quatre jours avant

>> Une grande bouffe est organisée. Le prétexte ? Pierre et Nadine ont vidé leurs congélateurs et ne souhaitent pas que la nourriture se perde.

La veille

>> Les aliments du frigo sont placés dans une glacière. Les garde-mangers sont vidés.

>> Le propriétaire vient confier un double des clés de l'appartement à Nadine.

>> Pierre photographie ses meubles avec un appareil numérique, histoire d'avoir une preuve de leur état avant que les déménageurs ne s'en emparent.

>> Les balais, vadrouilles, cintres et autres objets encombrants sont attachés ensemble avec une corde pour en faciliter le transport.

>> Une boîte ou une trousse contenant des articles de première nécessité est préparée (gants, pansements, tampons désinfectants, acétaminophène), en plus d'un coffre à outils (ruban à mesurer et ruban adhésif, ciseaux, stylos, marqueurs, gants de travail, tournevis à pointes multiples, X-ACTO, pinces, marteau, clé à molette, corde, lampe de poche munie de piles neuves) et d'un ensemble de nettoyage (balai et porte-poussière, produits nettoyants, éponges et torchons, gants en quantité suffisante, sacs-poubelles, essuie-tout et serviettes). Nadine ajoute quatre ampoules et du papier hygiénique.

>> La veille du déménagement, Nadine débranche le frigo. Les portes sont refermées avec du ruban adhésif étanche.

Le jour J

>> Pierre et Nadine préparent des bouteilles d'eau et de jus, ainsi que des collations pour leurs amis qui viennent leur prêter main-forte.

>> On passe un dernier coup de balai dans les pièces et on dégage un espace de stationnement sur le trottoir pour le camion.

>> Les amis arrivent avant les déménageurs. Ils forment une chaîne pour empiler des boîtes sur le trottoir en attendant. Comme les déménageurs doivent se présenter chez Pierre d'abord, Nadine en profite pour transporter, dans la voiture prêtée par une amie, les portables et les quelques objets de valeur dans le nouvel appartement.

>> Les déménageurs se présentent 90 minutes en retard, mais les opérations se déroulent sans incident, sinon qu'elles durent une heure de plus que prévu et qu'à la fin, le chef d'équipe encourage fortement Pierre à laisser un pourboire à son équipe. Une fois que les locataires sont arrivés au nouvel appartement, ils inspectent rapidement les meubles et les boîtes pour vérifier s'il y a eu des bris. Enfin, Pierre utilise sa carte de crédit pour retirer 1600$ de ses 4000$ de marge de crédit disponible, et donne 30$ en argent comptant à chacun des déménageurs avant qu'ils ne partent.

>> On commande 4 pizzas (50$) et on confie 50$ à Patrick qui a pour mission de ramener la bière et les boissons rafraîchissantes. On mange sur la galerie arrière, la plupart des amis sont assis par terre. Les derniers partent autour de 21 h, après quoi Pierre et Nadine installent, fourbus, le matelas du divan-lit à même le sol, sortent quelques couvertures, actionnent le ventilateur, se couchent là et s'endorment presque immédiatement.

En tout, leur journée de déménagement a coûté :

Aspect	Prix
Déménageurs et camion + pourboire	1690$
Collation du matin	50$
Plein d'essence, voiture de l'amie de Nadine	40$
Repas et rafraîchissements pour les amis	100$
Total	1880$
Total ÷ 2 (Pierre et Nadine partagent les frais)	940$

Chapitre 4
S'installer

Maintenant que vous avez pris possession de votre nouvel appartement, que vous avez fait activer tous les services, que vous vous êtes procuré une assurance habitation, il ne vous reste plus qu'à faire de ce logis un lieu bien à vous, auquel il ne manquera rien. Les sections qui suivent vous aideront à bien vous équiper et vous offrent aussi une foule de conseils pour optimiser l'utilisation des pièces de votre appartement et de ses appareils. Il y sera question aussi de la gestion efficace des tâches de la vie quotidienne. Mais avant, peut-être avez-vous envie de repeindre les murs dans des couleurs qui vont vous plaire ? Voici comment organiser votre chantier.

Repeindre les murs

Le choix des couleurs

Avant de vous lancer dans les grands travaux, vous avez sans doute longuement pensé aux couleurs que vous vouliez appliquer ? Chacun ses goûts. Cependant, demandez à votre propriétaire s'il interdit l'application de certaines couleurs (comme le noir). Certains vous autoriseront à toutes les fantaisies déco, pourvu que vous repeigniez en blanc avant votre départ. Dans le cas de vieux appartements aux murs en plâtre, on pourrait vous interdire la pose de papier peint ou de revêtements adhésifs.

Réparer les murs

La première étape du chantier consiste à colmater les trous et fissures dans les murs. Il suffit de se munir du produit approprié (en tube ou en pot), d'un couteau à mastic (étroit ou large, selon la grosseur des trous à reboucher) ainsi que de papier sablé pour la finition.

Dépoussiérez d'abord les trous et les fissures en vous aidant de votre aspirateur ou d'une brosse dure, puis appliquez le produit, nivelez ensuite avec le couteau. Laissez sécher quelques heures, puis poncez la surface pour la rendre bien lisse.

Préparer l'atelier

Pour éviter les accidents et les taches, couvrez vos meubles et vos planchers de bâches (plastique, vieux draps, etc.). Tâchez d'assembler vos effets au centre des pièces afin de dégager les murs.

Avant de vous lancer, prenez le temps de nettoyer les murs : la peinture adhérera mieux. On vous recommandera sûrement de nettoyer à l'aide d'un produit dégraissant, mais de l'eau chaude savonneuse peut faire l'affaire.

Utiliser le bon matériel

Pour les grands travaux de peinture, vous aurez besoin d'un rouleau à peindre, d'un bac à peinture avec égouttoir, de pinceaux brosses de tailles variées, de chiffons et de papier essuie-tout. Sans compter la peinture, évidemment.

Retenez qu'on peint les plafonds d'abord, pour éviter tout risque de coulisses ou d'éclaboussures sur des murs fraîchement peints. Procédez au découpage, c'est-à-dire peindre au pinceau l'arête des murs et le tour des plafonniers. Recouvrez ensuite le plafond de peinture à l'aide d'un rouleau vissé à un manche (à balai, par exemple). Pendant que le plafond sèche, commencez le découpage des murs (si vous utilisez une couleur qui contraste avec le plafond). Puis attaquez-vous aux surfaces avec un rouleau, en couvrant les murs de haut en bas. Entre les couches, emballez rouleaux et pinceaux dans du papier cellophane, et conservez-les au frais (dans le frigo).

Il existe plusieurs types de peinture, et le pouvoir couvrant est proportionnel au coût du produit. Pour vous éviter du travail, optez pour une peinture deux-en-un, au pouvoir cachant très efficace. Si votre budget peinture est serré, achetez un produit d'entrée de gamme… et réservez-vous du temps pour l'application de plusieurs couches.

Équiper son appartement

Vous n'avez sans doute pas attendu de vous trouver dans votre nouveau logement pour vous demander ce que vous y mettriez ! Malgré tout, nous allons vous proposer une petite visite virtuelle, pièce par pièce, question de vous présenter ce qu'il vaudrait la peine de vous procurer.

L'entrée

Garnissez votre entrée d'un **paillasson** : cet objet, pas uniquement décoratif, servira à retirer de vos semelles les grains de sable qui risquent d'abîmer vos planchers. Notez qu'une entrée ou un vestibule ne devraient pas être trop encombré. N'y installez que le strict nécessaire. Outre le paillasson, prévoyez un **portemanteau** ou une **patère**, une **étagère à chaussures** et une de ces corbeilles qu'on appelle « **vide-poches** », dans laquelle vous mettrez vos clés et… viderez vos poches.

La salle de bains

Vous l'avez vue lors de la première visite de l'appartement. Puis, tout de suite après avoir déménagé, désarroi : le locataire précédent a apporté tout ce qu'il y avait installé lui-même et la voilà presque complètement dépouillée. Cela dit, il faudrait beaucoup de malchance pour que le couvercle des toilettes ait disparu avec le distributeur mural de papier hygiénique (si c'est le cas, avisez-en le propriétaire). Mais sans doute aurez-vous à vous procurer un **rideau de**

douche, pour protéger les murs et le plancher d'un déluge d'éclaboussures, une **poubelle munie d'un couvercle** et un **panier à lessive**. Votre nouvelle salle de bains pourrait aussi ne pas avoir assez de rangement. Attendez-vous à débourser quelques dollars pour l'achat d'une étagère (du genre qu'on installe au-dessus des toilettes) ou de **porte-serviettes** supplémentaires. Ces barres latérales se vissent au mur ou s'y fixent avec des ventouses, qui ont l'avantage de ne pas trouer les cloisons. Au besoin, des crochets autocollants feront tenir les débarbouillettes sur le mur de la douche.

Le placard à ménage

Les articles de nettoyage et de ménage devraient pouvoir se trouver au même endroit. Si vous avez la chance de disposer de plusieurs placards, prévoyez d'en consacrer un à tout ce qui concerne les articles d'entretien et de bricolage : **planche et fer à repasser, balais et serpillières, seau de lavage, escabeau pliable, aspirateur et outils**. Si ce placard comporte des étagères, c'est encore mieux : mettez-y les **produits de nettoyage, les éponges, chiffons, torchons et autres gants de ménage** ; la **boîte à outils** (tournevis et vis assorties, marteau et clous, punaises, ruban à mesurer, ruban adhésif, niveau, produit pour boucher les trous), les **accessoires de couture** (aiguilles, fils, boutons, épingles de sureté de différentes tailles), les **ampoules** et les **adaptateurs**, les **rallonges électriques**, une **lampe de poche**, les **vaporisateurs** (insecticides, lubrifiant), la **colle**, le **cirage à chaussures**, et tout ce que vous croyez nécessaire.

La chambre à coucher

Qu'y a-t-il à dire sur cette pièce où vous passerez le tiers de votre temps (si, tout au moins, vous dormez vos 8 heures par nuit) ? Peu de choses, sinon qu'il vaut mieux garder cet espace exempt de toute source de distraction. Tâchez de faire en sorte que cette pièce soit tout entière dévolue à cette seule activité : dormir. Votre table de travail y est installée ? Tentez alors de créer une **division psychologique** entre la zone repos et la zone travail, soit au moyen de peinture (la zone lit peinte en foncé) ou à l'aide d'un **rideau léger** suspendu comme une cloison.

La cuisine

Une cuisine bien organisée doit contenir un certain nombre d'espaces de rangement. On met généralement les casseroles et autres instruments lourds dans les armoires du bas. Les armoires du haut servent à ranger la vaisselle et les produits alimentaires qui se conservent à la température ambiante. Pensez à installer une **poubelle refermable** à l'intérieur de la porte de l'armoire qui se trouve sous l'évier et gardez à proximité **le bac (ou sacs) à recyclage**. Vous pourrez disposer le savon à vaisselle et les articles de nettoyage (éponges, tampons d'acier nettoyants et linges à vaisselle) autour de l'évier, ainsi que l'**égouttoir**, destiné à laisser sécher la vaisselle. Aussi, pour optimiser l'espace de rangement de la cuisine, n'hésitez pas à installer des crochets sous les tablettes de vos armoires afin d'y suspendre des tasses. Une étagère ou une tablette installée sur la partie du mur qui sépare l'évier des armoires hautes augmentera l'espace de rangement pour les articles de nettoyage ; une étagère entre le four et la hotte pourra servir à y déposer les contenants à épices.

L'équipement de base de la cuisine

Bien qu'on trouve sur le marché des batteries de cuisine plutôt complètes, vous devez retenir quelques principes en vous procurant votre équipement de base.

Éléments de cuisson

>> **Chaudrons** : assurez-vous de disposer de deux tailles de casseroles, soit une petite-moyenne (d'environ 5 litres) pour la cuisine personnelle et une grande pour les jours où vous recevrez des amis ou vous ferez des réserves.

>> **Poêlons** : procurez-vous aussi deux formats (de 24 et de 30 cm, si possible). Privilégiez les revêtements antiadhésifs et assurez-vous qu'ils sont bien épais et bien lourds, quitte à payer plus cher, vous éviterez ainsi de faire brûler ou coller les aliments, malgré vos vaillants efforts.

>> **Plat à gratin** : procurez-vous un plat large et haut dans lequel vous pourrez faire cuire les rôtis, des poulets entiers ou du pâté chinois ; achetez également une plaque à pizza, ronde et plate, ou une plaque à biscuits rectangulaire.

>> **Micro-ondes** : rappelez-vous qu'il ne faut jamais mettre un ustensile ou de la vaisselle en métal ou portant des traces de métal dans le micro-ondes. Vous devrez donc vous procurer un ou deux articles de cuisson sécuritaires, conçus pour le micro-ondes (en céramique, en grès ou en porcelaine vitrifiée. Tous les éléments en plastique ne vont pas au micro-ondes, notamment la mélamine : vérifiez sous le contenant s'il porte l'icône d'un micro-ondes, ce qui valide son utilisation pour ce mode de cuisson).

Quelques ustensiles de base

>> Vous devrez vous munir d'un **couteau de chef** (pour tailler de gros légumes ou des pièces de viande), d'un **couteau d'office** (pour tailler ou peler les petits légumes) et d'un **économe** (pour peler les carottes, par exemple). On vend généralement ces couteaux en ensemble, comprenant aussi un **couteau à pain**, bien utile.

>> Les **cuillers et spatules en bois** sont les alliées de vos poêles antiadhésives, qui s'abîmeraient facilement au contact d'ustensiles en métal.

>> Une **spatule en caoutchouc** souple vous aidera à racler les bols et chaudrons pour ne rien perdre de vos préparations, de même que le fond des contenants de margarine, mayo, beurre d'arachide. Pensez aussi à vous munir d'un **pilon à pommes de terre**.

>> Un **fouet à main**, afin de battre les œufs, préparer une béchamel ou encore, pour les courageux, une mayonnaise.

>> Une **râpe** pour râper le fromage, le gingembre, l'ail...

>> La **passoire**, bien sûr, vous permettra d'égoutter les pâtes et les légumes cuits dans l'eau sans souci ; l'**essoreuse à salade**, cet instrument à moulinette, en fera de même avec la laitue.

>> La **planche à découper**, qu'elle soit en bois ou en plastique, devra comporter une rainure sur le pourtour pour recueillir les jus alimentaires et le sang ; inutile de vous dire que découper sa nourriture directement sur le comptoir n'est pas une très bonne idée.

>> La proverbiale **tasse à mesurer** de 500 ml, et un ensemble de **cuillers à mesurer** (souvent liées ensemble comme les clés dans un porte-clés), pour maîtriser l'art d'équilibrer ses mélanges d'épices, mais aussi indispensables en pâtisserie.

>> L'ensemble portatif **ouvre-boîte et décapsuleur** ainsi qu'un **tire-bouchon**, qui ne sont pas que des ustensiles de base, mais des instruments de survie : imaginez-vous seulement sur une île déserte parmi des caisses de conserve sans ces outils à portée de main... Assez dit.

>> Une **marguerite**, pour cuire les légumes à la vapeur.

>> Des **gants à four**, assurez-vous qu'ils sont bien épais et protégés par une substance isolante comme de l'amiante, pour manipuler les plats très chauds.

>> Du **papier d'aluminium**, auquel peut être réservé quantité d'usages, comme la protection du fond du four contre les projections alimentaires en cours de cuisson et autres.

Quoi se procurer lors de la première épicerie ?

La première épicerie est sans doute celle qui vous coûtera le plus cher, car vous devrez y inclure quantité de denrées de base, essentielles pour préparer des recettes. En plus des aliments destinés à la consommation courante (les aliments périssables), procurez-vous les denrées suivantes lors de votre première épicerie :

Ingrédients de base et condiments

Sel, poivre

Épices de base, séchées (basilic, thym, romarin, persil, sauge, marjolaine, poudre d'ail, cari, paprika, cannelle, muscade)

Huile de canola (pour la cuisson) et huile d'olive (pour les vinaigrettes)

Vinaigre blanc et vinaigre de cidre

Jus de citron

Beurre ou margarine

Ketchup, moutarde, relish et mayonnaise

Sauce Worcestershire

Sauce soya

Bouillons liquides ou en poudre (poulet, légumes et bœuf)

Farine tout usage

Fécule de maïs

Sucre

Cassonade

Sirop de maïs et sirop d'érable

Poudre à pâte

Bicarbonate de soude (2 boîtes, une pour cuisiner, une pour désodoriser le frigo)

Noix (au choix)

Aliments en boîte et en conserve

Riz

Pâtes alimentaires

Légumineuses (fèves, lentilles séchées, etc.)

Un assortiment de conserves :

– tomates

– jus de tomate

– pâte de tomates

– thon

– saumon

– sardines

– concentrés de soupes et de crèmes (poulet, champignons, céleri, tomate et consommé)

Céréales du petit-déjeuner

Produits d'emballage

Papier d'aluminium

Pellicule plastique

Papier ciré

Sacs à sandwichs

Plats pour la conservation des aliments (réfrigérateur ou congélateur)

Produits nettoyants et d'entretien

Savon à vaisselle

Savon corporel

Savon à lessive

Shampoing

Nettoyant tout usage (fenêtres, comptoirs, etc.)

Papier hygiénique

Mouchoirs

Papier essuie-tout

Sacs à ordures

Mieux manger pour moins cher

Les supermarchés sont conçus pour plonger le consommateur dans une déroutante ambiance de rêve qui l'incite à acheter toutes sortes de denrées superflues : biscuits en réduction, chips en promotion, mets préparés, stratégiquement placés à la hauteur des yeux ou sur les présentoirs de l'entrée. Même les arômes se mettent de la partie quand, dans la section boulangerie, de captivantes odeurs attirent inexplicablement un paquet de brioches dans votre panier d'épicerie. S'accorder certains plaisirs n'est pas une faute grave : entendons-nous là-dessus, et ces brioches sont excellentes. Mais résister à ses impulsions est parfois une question de survie quand on a un budget serré. Il vaut mieux être conscient de ces tentations et se préparer à faire son épicerie la tête froide et le ventre plein ; armé d'une volonté de fer qui vous fait dire : *produits, vous ne m'aurez pas*. Ces quelques conseils vous y aideront.

>> **Planifiez un menu de la semaine.** Réservez-vous aussi une journée par semaine pour préparer plusieurs plats en grosses quantités afin d'en stocker une partie au congélateur et de sauver du temps.

>> **Inspectez vos réserves et vérifiez ce que vous avez.** Y a-t-il là des aliments de base qui pourraient vous inspirer des recettes ? Le moment est-il venu d'utiliser ces cubes de bœuf à ragoût qui attendent au congélateur ? Vous êtes parfois plus riches que vous ne le croyez.

>> **Informez-vous.** Jetez un coup d'œil sur les circulaires. Elles vous renseigneront sur les réductions de la semaine, vous fourniront quelques coupons-rabais et vous permettront en général de comparer les offres de plusieurs fournisseurs. Refuser de recevoir les circulaires, c'est parfois se priver de faire des économies importantes.

>> **Concevez un menu de la semaine, prise deux :** Laissez votre menu s'inspirer des réductions que vous offrent les circulaires. Par exemple, inscrivez au menu ce généreux rôti de porc et ce poulet entier qui sont en réduction.

>> **Faites une liste d'épicerie.** Elle n'est pas une béquille pour prévenir les effets d'une mémoire défaillante, mais un outil qui vous rappelle ce que vous avez besoin d'acheter – et rien d'autre.

>> **Recherchez le prix des denrées au poids.** Sur les étiquettes, en petits caractères, le prix est généralement donné au kilo ou au 100 g. Vous verrez alors que ces poitrines de poulet habituellement vendues entre 15 et 20 $ le kilo constituent une aubaine si leur prix au poids s'élève à 11 $.

>> **Faites votre épicerie le ventre plein.** Magasiner rassasié vous mettra à l'abri des tentations trop fortes.

>> **Faites votre épicerie la tête froide.** N'arpentez que les allées où se trouvent les denrées qui figurent sur votre liste.

>> **Achetez des fruits et légumes de saison,** vous payerez moins cher pour le transport de ces aliments qui proviennent, par exemple, souvent du Mexique, et vous investirez dans la culture locale.

>> **Devant deux produits identiques, essayez la marque maison.** Elle est moins chère que les produits de grande marque et a souvent un goût identique.

>> **Soyez attentif aux prix qui défilent à l'écran et sur votre facture.** Des erreurs peuvent parfois se produire. Des articles en réduction vous ont été facturés au prix courant ? Si cela se produit, faites-le poliment observer au caissier, il appellera sans doute un commis pour confirmer (ou infirmer) vos allégations. La politique d'exactitude des prix à laquelle souscrivent certaines épiceries et pharmacies – vérifiez l'écriteau à la caisse – vous permettra d'obtenir ce produit gratuitement ou d'obtenir un rabais sur son prix.

>> **Râpez, coupez, cuisinez vous-même.** Râper son fromage ou couper sa salade ne demande pas tellement d'effort et engendre des économies. En effet, plus on intervient dans la préparation des aliments que vous achetez, plus ils risquent de coûter cher. C'est d'autant plus vrai pour les lasagnes, pizzas et autres repas préparés, qui sont taxés (contrairement aux denrées de base) et coûtent plus cher. Aussi, achetez vos légumes et votre volaille entiers, pour les mêmes raisons, et rappelez-vous que la meilleure sauce à spaghetti, c'est encore la vôtre (ou celle de votre mère).

>> **Entraînez-vous à cuisiner et faites-vous des lunchs.** Le lunch permet d'économiser beaucoup sur les frais de repas que vous devez prendre à l'extérieur.

Chapitre 5
Des recettes pour bien manger

VINAIGRETTE POUR SALADE VERTE

375 ml (1 1/2 t)

- ❏ 80 ml (1/3 t) de vinaigre
- ❏ 250 ml (1 t) d'huile végétale
- ❏ 50 ml (3 c. à soupe + 1 c. à thé) de sauce chili
- ❏ quelques gouttes de sauce Tabasco
- ❏ 5 ml (1 c. à thé) de sauce Worcestershire
- ❏ 5 ml (1 c. à thé) de sel
- ❏ 2 ml (1/2 c. à thé) de poivre
- ❏ 2 ml (1/2 c. à thé) de sel ou de poudre d'ail
- ❏ 2 ml (1/2 c. à thé) de sel au céleri
- ❏ 15 ml (1 c. à soupe) d'épices à salade
- ❏ 15 ml (1 c. à soupe) de sucre

1. Bien mélanger tous les ingrédients. Conserver la vinaigrette au réfrigérateur et servir sur de la laitue.

VINAIGRETTE ITALIENNE MAISON

250 ml (1 t)

- ❏ 160 ml (2/3 t) d'huile végétale
- ❏ 50 ml (3 c. à soupe + 1 c. à thé) de vinaigre blanc ou de vin blanc
- ❏ 15 ml (1 c. à soupe) d'eau
- ❏ 10 ml (2 c. à thé) de sucre
- ❏ 10 ml (2 c. à thé) de jus de citron
- ❏ 1 ml (1/4 c. à thé) de poudre d'ail
- ❏ 1 ml (1/4 c. à thé) d'origan séché
- ❏ 1 pincée de piment de Cayenne

1. Déposer tous les ingrédients dans un bocal hermétique. Bien remuer. Réfrigérer de 2 à 3 heures avant de servir sur de la laitue.

CRÈME DE POULET

2 à 3 portions

- ❏ 20 ml (1 1/4 c. à soupe) de beurre
- ❏ 20 ml (1 1/4 c. à soupe) de farine
- ❏ 750 ml (3 t) de bouillon de poulet
- ❏ Environ 125 ml (1/2 t) de poulet cuit, coupé en dés
- ❏ Sel et poivre au goût
- ❏ 125 ml (1/2 t) de crème 15 %

1. Dans une casserole à fond épais, faire fondre le beurre à feu moyen. Ajouter la farine et mélanger. Verser le bouillon de poulet et cuire, en remuant constamment, de 4 à 5 minutes. Ajouter les morceaux de poulet. Saler et poivrer. Au moment de servir, ajouter la crème.

SOUPE À L'ORGE

6 portions

- ❏ 450 g (1 lb) de bœuf haché
- ❏ 15 ml (1 c. à soupe) de beurre
- ❏ 3 petits oignons, finement hachés
- ❏ 2 ml (1/2 c. à thé) de sel
- ❏ 2 ml (1/2 c. à thé) de poivre
- ❏ 1 boîte (796 ml/28 oz) de tomates en dés
- ❏ 1,5 l (6 t) d'eau
- ❏ 2 ml (1/2 c. à thé) de ciboulette
- ❏ persil au goût
- ❏ 3 carottes coupées en dés
- ❏ 3 pommes de terre coupées en dés
- ❏ 3 branches de céleri coupées en dés
- ❏ 80 ml (1/3 t) d'orge

1. Dans une grande casserole, faire revenir la viande dans le beurre. Ajouter les oignons, le sel et le poivre, les tomates et l'eau. Ajouter la ciboulette et le persil. Couvrir et faire mijoter pendant 1 heure à feu moyen doux.

2. Ajouter les carottes, les pommes de terre et le céleri et poursuivre la cuisson 20 minutes. Ajouter l'orge et poursuivre la cuisson 15 minutes.

SOUPE AUX LÉGUMES

6 portions

- ❏ 15 ml (2 c. à soupe) de beurre ou d'huile
- ❏ 1 oignon haché
- ❏ 250 ml (1 t) de tomates en conserve
- ❏ 250 ml (1 t) de carottes coupées en dés
- ❏ 250 ml (1 t) de chou haché
- ❏ 3 branches de céleri coupées en dés
- ❏ 1,5 l (6 t) d'eau bouillante
- ❏ 10 ml (2 c. à thé) d'herbes salées (facultatif)
- ❏ sel* et poivre au goût

1. Dans une grande casserole, faire fondre le beurre et y faire revenir l'oignon. Ajouter les tomates et porter à ébullition. Au premier signe d'ébullition, ajouter les carottes, le chou et le céleri. Verser l'eau bouillante et ajouter les herbes salées, si désiré. Saler et poivrer au goût. Cuire à feu très doux de 2 à 2 1/2 heures.

* Goûter avant d'ajouter du sel, car les herbes salées pourraient suffire à saler le potage.

SOUPE AUX LENTILLES

6 portions

- ❑ 2 oignons hachés
- ❑ 2 gousses d'ail hachées très finement
- ❑ 15 ml (1 c. à soupe) d'huile végétale
- ❑ 2 carottes coupées en tranches
- ❑ 1 branche de céleri coupée en morceaux
- ❑ 2 ml (1/2 c. à thé) de sarriette séchée
- ❑ 2 ml (1/2 c. à thé) de thym séché
- ❑ 1 l (4 t) de bouillon de légumes ou de poulet du commerce
- ❑ 250 ml (1 t) de lentilles sèches vertes ou brunes, rincées
- ❑ 1 boîte (796 ml/28 oz) de tomates
- ❑ sel et poivre
- ❑ persil frais, haché (facultatif)

1. Dans une grande casserole, faire revenir les oignons et l'ail dans l'huile jusqu'à ce qu'ils soient translucides. Ajouter les carottes, le céleri, la sarriette et le thym, puis cuire 1 minute.

2. Ajouter le bouillon de légumes, les lentilles et les tomates et amener à ébullition. Faire mijoter à feu moyen 45 minutes. Saler et poivrer au goût.

3. Servir la soupe garnie de persil, si désiré, accompagnée de pain complet et de fromage.

Pâtes et pizza

MACARONIS AU FROMAGE AU GRATIN

4 portions

- ❏ 500 ml (2 t) de macaronis coupés
- ❏ 60 ml (4 c. à soupe) de beurre
- ❏ 30 ml (2 c. à soupe) de farine
- ❏ 500 ml (2 t) de lait
- ❏ 250 ml (1 t) de cheddar fort râpé
- ❏ 1 bonne cuillerée de fromage à tartiner (facultatif)
- ❏ sel et poivre
- ❏ 1 pincée de piment de Cayenne (facultatif)
- ❏ 5 ml (1 c. à thé) de moutarde de Dijon

1. Chauffer le four à 190 °C (375 °F) et beurrer un plat allant au four.

2. Cuire les macaronis al dente selon les indications du fabricant. Pendant ce temps, faire fondre le beurre à feu moyen, ajouter la farine et mélanger. Verser le lait et cuire, en remuant constamment, jusqu'à ce que la sauce épaississe. Ajouter la moitié du cheddar, le fromage à tartiner, si désiré, et la moutarde. Saler et poivrer au goût. Ajouter le piment de Cayenne, si désiré.

3. Déposer les macaronis dans le plat beurré. Verser la sauce sur les macaronis et parsemer du reste du cheddar. Cuire au four de 15 à 20 minutes ou jusqu'à ce que le fromage ait fondu.

SAUCE ALFREDO

4 portions

- ❏ 60 ml (1/4 t) de beurre
- ❏ 2 gousses d'ail hachées très finement
- ❏ 375 ml (1 1/2 t) de crème 35 %
- ❏ sel et poivre
- ❏ 180 ml (3/4 t) de parmesan râpé
- ❏ persil frais, haché

1. Dans une casserole, faire fondre le beurre à feu doux et y faire revenir l'ail jusqu'à ce qu'il soit translucide. Éviter de colorer.

2. Ajouter la crème. Saler et poivrer. Augmenter le feu à moyen vif et cuire jusqu'à épaississement en fouettant constamment pour éviter que la crème ne colle. Laisser frémir à feu doux pendant environ 3 minutes et retirer du feu.

3. Ajouter le parmesan et le persil, et bien mélanger. Servir la sauce Alfredo avec des pâtes au choix.

SAUCE ITALIENNE

10 portions

- ❏ 7 oignons hachés
- ❏ 675 g (1 1/2 lb) de bœuf haché
- ❏ 225 g (1/2 lb) de porc haché
- ❏ 7 branches de céleri, hachées
- ❏ 45 ml (3 c. à soupe) d'huile végétale
- ❏ 2 boîtes de tomates entières de 796 ml (28 oz) chacune
- ❏ 1 boîte de jus de tomate de 540 ml (19 oz)
- ❏ 2 boîtes de pâte de tomates de 156 ml (5 1/2 oz)
- ❏ 10 ml (2 c. à thé) de sauce 57
- ❏ 15 ml (1 c. à soupe) de sauce Worcestershire
- ❏ 10 ml (2 c. à thé) de piment de Cayenne
- ❏ 5 ml (1 c. à thé) de thym séché
- ❏ sel et poivre au goût

1. Faire revenir les oignons, la viande et le céleri dans l'huile jusqu'à ce que la viande hachée ne soit plus rosée. Ajouter tous les autres ingrédients et mélanger. Couvrir à demi et cuire à feu doux pendant 3 heures.

SAUCE MARINARA AUX PALOURDES

4 portions

- ❏ 4 gousses d'ail hachées très finement
- ❏ 60 ml (4 c. à soupe) d'huile végétale
- ❏ 1 boîte (796 ml/28 oz) de tomates italiennes en dés
- ❏ 2 ml (1/2 c. à thé) de marjolaine séchée
- ❏ 7 ml (1 1/2 c. à thé) de sel
- ❏ 1 ml (1/4 c. à thé) de poivre
- ❏ 15 ml (1 c. à soupe) d'origan séché
- ❏ 45 ml (3 c. à soupe) de persil frais, haché
- ❏ 1 boîte (48 g) d'anchois
- ❏ 30 ml (2 c. à soupe) de vinaigre de vin
- ❏ 75 ml (5 c. à soupe) de pâte de tomates
- ❏ 1 boîte (142 g) de palourdes

1. Dans un poêlon, faire revenir l'ail dans l'huile. Ajouter les tomates, la marjolaine, le sel, le poivre, l'origan, le persil, les anchois, le vinaigre de vin, la pâte de tomates et les palourdes. Bien mélanger.

2. Amener à ébullition et laisser mijoter à feu moyen-doux pendant 25 minutes. Servir la sauce marinara avec des pâtes au choix.

PÂTE À PIZZA

4 portions

- ❏ 7 ml (1 1/2 c. à thé) de levure sèche
- ❏ 125 ml (1/2 t) d'eau tiède
- ❏ 2 ml (1/2 c. à thé) de sucre
- ❏ 1 ml (1/4 c. à thé) de sel
- ❏ 250 ml (1 t) de farine tout usage
- ❏ 15 ml (1 c. à soupe) d'huile végétale

1. Diluer la levure dans la moitié de l'eau tiède. (Respecter les instructions du fabricant.)

2. Diluer le sucre et le sel dans le reste de l'eau tiède.

3. Dans un grand bol, verser la farine et les mélanges de levure, de sucre et de sel. Battre à grande vitesse jusqu'à l'obtention d'une pâte homogène. Disposer la pâte sur une plaque huilée et couvrir d'un linge propre, humide et chaud. Laisser lever la pâte environ 1 heure 15 minutes jusqu'à ce qu'elle ait doublé de volume.

4. Pétrir la pâte pour en faire sortir l'excédent d'air. Abaisser la pâte au rouleau jusqu'à l'obtention de la forme désirée.

5. Une fois garnie à votre goût, faire cuire la pâte au four à 230 °C (450 °F) de 10 à 20 minutes.

Viande et poisson

BOULETTES AU JUS DE LÉGUMES

6 portions

- ❏ 450 g (1 lb) de bœuf, de veau ou de porc haché ou un mélange de viandes hachées
- ❏ 1 oignon haché
- ❏ 2 gousses d'ail émincées
- ❏ 1 œuf
- ❏ 125 ml (1/2 t) de riz blanc (très bon avec du riz à risotto)
- ❏ 1 pincée de marjolaine séchée ou herbes de Provence
- ❏ sel et poivre
- ❏ 15 à 30 ml (1 à 2 c. à soupe) d'huile
- ❏ environ 1 l (4 t) de jus de légumes, selon le type de riz

1. Dans un bol, mélanger le bœuf, l'oignon, l'ail, l'œuf, le riz et la marjolaine. Saler et poivrer au goût. Façonner la préparation en boulettes de 2 cm (3/4 po).

2. Dans une casserole à fond épais, faire dorer les boulettes dans l'huile à feu moyen-vif pendant environ 4-5 minutes, jusqu'à ce qu'elles soient dorées de tous les côtés. Verser le jus de légumes sur les boulettes. Porter à ébullition, baisser le feu, couvrir et laisser mijoter pendant 1 heure.

CHILI CON CARNE

6 portions

- ❏ 30 ml (2 c. à soupe) d'huile végétale
- ❏ 1 gros oignon espagnol, haché finement
- ❏ 2 poivrons rouges ou jaunes coupés en gros morceaux
- ❏ 450 g (1 lb) de bœuf ou de veau haché
- ❏ 2 boîtes de tomates entières de 796 ml (28 oz) chacune
- ❏ sel et poivre au goût
- ❏ 10 ml (2 c. à thé) de cumin
- ❏ 5 ml (1 c. à thé) d'origan séché
- ❏ 1 petit piment chili vert de type jalapeño, haché finement
- ❏ 10 ml (2 c. à thé) d'assaisonnement au chili
- ❏ flocons de piment fort au goût (facultatif)
- ❏ 1 boîte de 540 ml (19 oz) de haricots rouges ou noirs, rincés et égouttés

1. Dans une casserole à fond épais, faire chauffer l'huile à feu moyen-vif. Ajouter l'oignon et les poivrons et cuire de 2 à 3 minutes. Ajouter la viande hachée et cuire jusqu'à ce qu'elle ne soit plus rosée. Verser les tomates dans la casserole, saler et poivrer au goût. Couvrir et laisser mijoter à feu moyen-doux pendant 1 heure.

2. Ajouter le cumin, l'origan, le piment chili, l'assaisonnement au chili, les flocons de piment fort, si désiré, et les haricots rouges ou noirs. Poursuivre la cuisson pendant 30 minutes. Servir dans des bols ou sur un lit de riz.

CÔTELETTES DE PORC À L'ANANAS

4 portions

- ❏ 60 ml (1/4 t) de farine
- ❏ 5 ml (1 c. à thé) de sel
- ❏ poivre au goût
- ❏ 4 côtelettes de porc assez épaisses
- ❏ 30 ml (2 c. à soupe) d'huile
- ❏ 4 fines tranches de citron
- ❏ 1 oignon moyen, en rondelles
- ❏ 1 boîte d'ananas broyés de 398 ml (14 oz) (avec leur jus)
- ❏ 30 ml (2 c. à soupe) de vinaigre de vin blanc ou de vinaigre blanc
- ❏ 1 ml (1/4 c. à thé) de gingembre moulu
- ❏ 0,5 ml (1/8 c. à thé) de quatre-épices
- ❏ 22 ml (1 1/2 c. à soupe) de fécule de maïs
- ❏ 15 ml (1 c. à soupe) d'eau
- ❏ 30 ml (2 c. à soupe) de sauce soya

1. Chauffer le four à 180 °C (350 °F).

2. Dans une assiette peu profonde, mettre la farine et le sel, poivrer au goût. Fariner les côtelettes des deux côtés.

3. Dans une poêle allant au four, faire chauffer l'huile à feu moyen-vif. Faire dorer les côtelettes des deux côtés, de 2 à 3 minutes par côté. Retirer du feu et déposer une tranche de citron sur chaque côtelette. Répartir ensuite les rondelles d'oignon sur les côtelettes.

4. Dans une casserole, cuire à feu moyen en remuant constamment le jus des ananas, le vinaigre, le gingembre et le quatre-épices jusqu'à consistance lisse. Ajouter les ananas et porter à ébullition. Baisser le feu, ajouter la fécule de maïs préalablement diluée dans un peu d'eau, en remuant constamment. Ajouter la sauce soya.

5. Verser la sauce sur les côtelettes, couvrir et cuire au four de 45 minutes à 1 heure ou jusqu'à ce que les côtelettes soient tendres.

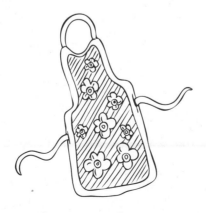

SAUTÉ DE PORC ET DE LÉGUMES À LA CHINOISE

4 portions

- ❏ 450 g (1 lb) de porc
- ❏ 30 ml (2 c. à soupe) de sauce soya
- ❏ 2 ml (1/2 c. à thé) de gingembre frais, haché
- ❏ 1 gousse d'ail écrasée
- ❏ 45 ml (3 c. à soupe) d'huile d'arachide
- ❏ 180 ml (3/4 t) de carottes coupées en morceaux
- ❏ 500 ml (2 t) de brocoli coupé en morceaux
- ❏ 500 ml (2 t) de chou-fleur coupé en morceaux
- ❏ 125 ml (1/2 t) de pois mange-tout
- ❏ 180 ml (3/4 t) d'oignon haché finement
- ❏ 180 ml (3/4 t) de poivron rouge coupé en dés
- ❏ 250 ml (1 t) de céleri haché finement
- ❏ 125 ml (1/2 t) de courgettes coupées en morceaux
- ❏ 1 l (4 t) de chou chinois coupé en morceaux
- ❏ 250 ml (1 t) de champignons coupés en quartiers
- ❏ 60 ml (1/4 t) d'eau
- ❏ 15 ml (1 c. à soupe) de fécule de maïs

1. Couper le porc en morceaux ; les faire mariner dans le mélange de sauce soya, de gingembre et d'ail pendant environ 30 minutes.

2. Faire chauffer un peu d'huile dans un wok (ou dans une sauteuse), à feu vif, et cuire successivement les carottes, le brocoli, le chou-fleur et les pois mange-tout, en ajoutant chacun des légumes à intervalles de 1 minute. Retirer ce mélange du wok et le réserver au chaud, à couvert.

3. Verser un peu d'huile dans le wok et cuire successivement, à feu vif, l'oignon, le poivron rouge, le céleri, les courgettes, le chou chinois et les champignons. Réserver ce mélange au chaud avec les autres légumes.

4. Faire chauffer le reste de l'huile dans le wok et cuire la viande à feu vif de 2 à 3 minutes. Répartir la viande sur le pourtour du wok ou la réserver avec les légumes.

5. Verser l'eau dans le wok et l'épaissir avec la fécule de maïs préalablement diluée dans un peu d'eau. Laisser cuire 1 minute. Ajouter les légumes cuits et la viande s'il y a lieu. Remuer et laisser chauffer de 1 à 2 minutes, en remuant. Amener à ébullition et servir chaud.

FILETS DE SOLE FARCIS

8 portions

- ❏ 1 kg (2 1/4 lb) de filets de sole frais ou surgelés
- ❏ 125 ml (1/2 t) de concombre râpé et égoutté
- ❏ 310 ml (1 1/4 t) de chapelure
- ❏ 2 ml (1/2 c. à thé) de sauce Worcestershire
- ❏ un peu de lait
- ❏ 15 ml (1 c. à soupe) de farine
- ❏ 750 ml (3 t) d'oignons émincés
- ❏ 60 ml (1/4 t) de beurre
- ❏ sel et poivre
- ❏ 2 ml (1/2 c. à thé) d'aneth (facultatif)
- ❏ 500 ml (2 t) de béchamel
- ❏ 45 ml (3 c. à soupe) de fromage parmesan
- ❏ persil et paprika

1. Chauffer le four à 200 °C (400 °F).

2. Passer les filets de sole à l'eau froide et les essuyer parfaitement. Réserver.

3. Mélanger le concombre, la chapelure et la sauce Worcestershire. Humecter d'un peu de lait. Déposer 15 ml (1 c. à soupe) de cette farce au centre de chaque filet. Rouler et attacher avec un cure-dents. Saupoudrer de farine.

4. Faire dorer les oignons dans le beurre. Saler et poivrer. Ajouter l'aneth, si désiré. Verser dans un plat de 20 cm x 30 cm (8 po x 12 po) allant au four. Déposer les filets de sole roulés sur les oignons. Badigeonner de beurre fondu.

5. Cuire au four pendant 15 minutes. Enlever les cure-dents et napper de béchamel. Parsemer de parmesan et cuire au four pendant 5 minutes, puis faire dorer légèrement le fromage sous le gril. Servir décoré de persil et de paprika.

BŒUF AU BROCOLI

6 portions

- ❏ 450 g (1 lb) de bifteck de ronde
- ❏ 1 brocoli
- ❏ 15 ml (1 c. à soupe) de fécule de maïs
- ❏ 60 ml (1/4 t) d'eau
- ❏ 30 ml (2 c. à soupe) de sauce soja
- ❏ 5 ml (1 c. à thé) de gingembre frais, râpé finement
- ❏ 60 ml (1/4 t) d'huile
- ❏ 225 g (1/2 lb) de champignons émincés
- ❏ 30 ml (2 c. à soupe) d'huile
- ❏ 60 ml (1/4 t) d'eau

1. Couper la viande en tranches très fines* d'environ 5 cm (2 po) de longueur dans le sens contraire des fibres de la viande. Couper le pied du brocoli, le peler et le découper en julienne. Couper les fleurs en petits bouquets.

2. Dans un petit bol, délayer la fécule de maïs dans l'eau et incorporer la sauce soja et le gingembre.

3. Dans un wok, chauffer l'huile à feu vif. Faire revenir la viande de 2 à 3 minutes ou jusqu'à ce qu'elle soit dorée. Ajouter les champignons et cuire pendant 1 minute. Retirer la viande et les champignons du wok. Réserver.

4. Faire chauffer 30 ml (2 c. à soupe) d'huile et y faire revenir la julienne de brocoli pendant environ 1 minute. Ajouter les fleurs de brocoli, verser l'eau, couvrir et cuire pendant 3 minutes. Remettre la viande et les champignons dans le wok. Repousser le brocoli et la viande sur les bords et verser la préparation de fécule de maïs au centre du wok. Remuer jusqu'à épaississement. Mélanger et servir.

* Pour de meilleurs résultats, mettre la viande au congélateur pendant 1 heure avant de la couper.

PÂTÉ CHINOIS

6 portions

- ❏ 5 pommes de terre coupées en quartiers
- ❏ 2 carottes coupées en tranches*
- ❏ 1 boîte (341 ml/12 oz) de maïs en crème
- ❏ 1 boîte (341 ml/12 oz) de maïs en grains égoutté
- ❏ 15 ml (1 c. à soupe) d'huile végétale
- ❏ 1 oignon haché
- ❏ 450 g (1 lb) de bœuf haché
- ❏ sel et poivre
- ❏ paprika

1. Chauffer le four à 180 °C (350 °F).

2. Dans une casserole d'eau salée, faire bouillir les pommes de terre et les carottes jusqu'à ce qu'elles soient tendres. Égoutter et réduire en purée. Réserver.

3. Dans un bol, mélanger le maïs en crème et le maïs en grains. Réserver.

4. Dans un poêlon, chauffer l'huile à feu vif et y faire revenir l'oignon pendant environ 1 minute ou jusqu'à ce qu'il devienne translucide. Ajouter le bœuf haché et cuire pendant environ 3 minutes ou jusqu'à ce qu'il soit brun. Égoutter le gras de cuisson. Saler et poivrer au goût.

5. Dans un plat allant au four, déposer le bœuf haché, le mélange de maïs, puis la purée de pommes de terre et de carottes. Saupoudrer de paprika au goût. Cuire au four pendant environ 30 minutes. Servir chaud, accompagné de ketchup aux fruits.

* On peut remplacer les carottes par une patate douce.

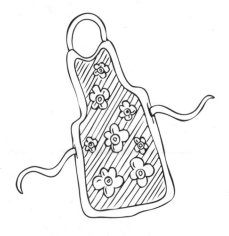

MOUSSAKA

6 portions

- ❏ 1 kg (2 lb) d'aubergines, pelées et coupées en tranches d'environ 0,5 cm (1/4 po)
- ❏ 60 ml (4 c. à soupe) d'huile d'olive
- ❏ 5 gousses d'ail émincées
- ❏ 1 gros oignon, finement haché
- ❏ 1 kg (2 1/4 lb) de bœuf haché
- ❏ 1 (796 ml/28 oz) de tomates en dés
- ❏ 1 boîte (540 ml/19 oz) de jus de tomate
- ❏ 2 ml (1/2 c. à thé) de cannelle
- ❏ 1 feuille de laurier
- ❏ Sel et poivre
- ❏ 125 ml (1/2 t) de fromage kefalotiri (ou de parmesan râpé)
- ❏ 750 ml (3 t) de béchamel

1. Chauffer le four à 180 °C (350 °F).

2. Placer les tranches d'aubergine sur une planche à découper garnie de papier absorbant. Parsemer du sel sur un côté des aubergines et laisser dégorger pendant environ 2 heures. Rincer et éponger les aubergines.

3. Dans un grand poêlon, faire revenir les aubergines de chaque côté dans 30 ml (2 c. à soupe) d'huile. Déposer les aubergines cuites sur du papier absorbant pour éponger l'excédent d'huile. Réserver.

4. Préparation de la sauce à la viande : dans un grand poêlon, faire revenir l'ail et l'oignon dans 30 ml (2 c. à soupe) d'huile pendant 3 minutes. Retirer du poêlon et réserver.

5. Dans le même poêlon, faire revenir la viande hachée de 3 à 5 minutes, jusqu'à ce qu'elle soit cuite. Ajouter l'oignon et l'ail cuits, les tomates, le jus de tomate, la cannelle et la feuille de laurier. Saler et poivrer. Laisser mijoter à feu doux et à découvert jusqu'à ce que le liquide soit presque entièrement évaporé.

6. Montage de la moussaka : dans un plat allant au four, verser environ la moitié de la sauce à la viande. Parsemer de kefalotiri. Placer par-dessus la moitié des tranches d'aubergine et verser environ 375 ml (1 1/2 t) de béchamel. Verser la seconde moitié de la sauce tomate. Parsemer de kefalotiri. Placer par-dessus le reste des tranches d'aubergine et verser le reste de la béchamel. Parsemer du reste du fromage. Faire cuire au four pendant 1 heure.

POIVRONS FARCIS

4 portions, en accompagnement

- ❏ 4 poivrons (couleur au choix)
- ❏ 250 ml (1 t) de légumes mélangés surgelés
- ❏ 4 œufs
- ❏ 125 ml (1/2 t) de lait
- ❏ 2 ml (1/2 c. à thé) de poudre d'oignon
- ❏ 2 ml (1/2 c. à thé) d'assaisonnement à l'italienne

1. Chauffer le four à 160 °C (325 °F).

2. Couper le dessus des poivrons ; nettoyer l'intérieur. Mettre chaque poivron dans un ramequin. Déposer le quart des légumes dans chacun.

3. Dans un bol, battre les œufs avec le lait, la poudre d'oignon et l'assaisonnement à l'italienne. Verser le quart de la préparation dans chaque poivron, sur les légumes.

4. Cuire au four pendant environ 1 heure. Laisser reposer pendant 5 minutes avant de servir.

PAIN DE VIANDE AU GRUAU

6 portions

- ❏ 675 g (1 1/2 lb) de bœuf haché
- ❏ 10 ml (2 c. à thé) de sel
- ❏ 1 ml (1/4 c. à thé) de poivre
- ❏ 5 ml (1 c. à thé) de moutarde en poudre
- ❏ 1 pincée de muscade
- ❏ 1 pincée de thym séché
- ❏ 125 ml (1/2 t) de gruau à cuisson rapide
- ❏ 250 ml (1 t) de lait
- ❏ 125 ml (1/2 t) de carotte finement râpée
- ❏ 60 ml (1/4 t) de céleri finement haché
- ❏ 60 ml (1/4 t) d'oignon finement haché

1. Chauffer le four à 350 °F (180 °C) et graisser un moule à pain rectangulaire.

2. Dans un grand bol, mélanger tous les ingrédients. Verser dans le moule à pain graissé et lisser avec le dos d'une spatule. Couvrir de papier d'aluminium et cuire au four pendant 40 minutes. Découvrir et poursuivre la cuisson de 15 à 20 minutes.

CÔTES LEVÉES

4 portions

- ❏ 1,3 à 1,8 kg (3 à 4 lb) de côtes de porc (côtes levées)
- ❏ 125 ml (1/2 t) de miel
- ❏ 60 ml (1/4 t) de jus de citron
- ❏ 125 ml (1/2 t) d'eau
- ❏ 45 ml (3 c. à soupe) de ketchup
- ❏ 2 gousses d'ail
- ❏ 2 ml (1/2 c. à thé) de poivre
- ❏ 5 ml (1 c. à thé) de gingembre
- ❏ sel et poivre

1. Chauffer le four à 180 °C (350 °F).

2. Saler et poivrer les côtes de porc et les déposer dans un grand plat peu profond allant au four. Couvrir le plat de papier d'aluminium. Cuire au four pendant environ 1 1/2 heure.

3. Dans un petit bol, mélanger les autres ingrédients et en badigeonner les côtes levées. Cuire pendant environ 30 minutes en badigeonnant de sauce à deux ou trois reprises.

RIZ FRIT À LA CHINOISE

6 portions

- ❑ 30 ml (2 c. à soupe) d'huile d'arachide
- ❑ 180 ml (3/4 t) de poulet coupé en lanières
- ❑ 80 ml (1/3 t) de champignons coupés en tranches
- ❑ 1 l (4 t) de riz blanc cuit
- ❑ 30 ml (2 c. à soupe) de sauce soja
- ❑ 30 ml (2 c. à soupe) d'oignons verts émincés
- ❑ 1 œuf battu

1. Chauffer l'huile dans un grand poêlon ou dans un wok. Faire cuire le poulet de 3 à 4 minutes, ou jusqu'à ce qu'il soit cuit.

2. Ajouter les champignons, le riz, la sauce soja et les oignons verts. Cuire à feux doux pendant 10 minutes.

3. Avant de servir, casser l'œuf sur le riz frit et mélanger immédiatement pour cuire l'œuf. Servir sans délai.

Volaille

CROQUETTES DE DINDE*

8 croquettes

- ❏ 125 ml (1/2 t) de champignons émincés
- ❏ 45 ml (3 c. à soupe) de beurre
- ❏ 80 ml (1/3 t) de farine
- ❏ 250 ml (1 t) de lait
- ❏ 2 ml (1/2 c. à thé) de sel
- ❏ 1 à 2 ml (1/4 à 1/2 c. à thé) de cari
- ❏ 250 ml (1 t) de dinde cuite, hachée
- ❏ 5 ml (1 c. à thé) de persil frais, haché
- ❏ 80 ml (1/3 t) de farine assaisonnée**
- ❏ 10 à 12 biscuits soda émiettés
- ❏ 1 œuf battu avec 30 ml (2 c. à soupe) d'eau froide
- ❏ 30 ml (2 c. à soupe) d'huile végétale

1. Dans une casserole ou une poêle, faire revenir les champignons dans le beurre à feu moyen-vif pendant environ 2 minutes. Baisser à feu moyen, ajouter la farine et mélanger. Verser le lait et cuire, en remuant constamment, pendant environ 5 minutes, jusqu'à épaississement. Ajouter le sel, le cari, la dinde et le persil. Bien mélanger. Verser dans un bol et laisser refroidir au réfrigérateur pendant au moins 4 heures. (Le mélange doit être bien froid.)

2. Façonner la préparation en 8 galettes. Déposer la farine assaisonnée dans une assiette creuse, les biscuits soda émiettés dans une autre et l'œuf battu dans une troisième.

3. Dans une grande poêle, faire chauffer l'huile à feu moyen-vif. Rouler les croquettes, une à une, dans la farine, les tremper ensuite dans l'œuf battu, puis les rouler dans les miettes de biscuits. Cuire les croquettes pendant environ 3 minutes par côté ou jusqu'à ce qu'elles soient bien dorées.

* Parfait pour utiliser les restes de dinde.

** Farine assaisonnée : ajouter 5 ml (1 c. à thé) de sel, 5 ml (1 c. à thé) de poivre et 5 ml (1 c. à thé) de paprika à la farine, puis mélanger.

CUISSES DE POULET AU MIEL

6 portions

- ❏ 30 ml (2 c. à soupe) d'huile ou de beurre
- ❏ 6 cuisses de poulet
- ❏ 60 ml (1/4 t) d'oignon haché
- ❏ 1 gousse d'ail émincée
- ❏ 160 ml (2/3 t) de bouillon de poulet
- ❏ 80 ml (1/3 t) de miel
- ❏ 60 ml (1/4 t) de jus de citron
- ❏ 15 ml (1 c. à soupe) de sauce soya
- ❏ 2 oignons verts émincés (pour garnir)

1. Dans une grande poêle (munie d'un couvercle), chauffer l'huile à feu moyen-vif et y faire dorer les cuisses de poulet de 3 à 4 minutes par côté.

2. Dans une casserole, déposer tous les autres ingrédients, sauf les oignons verts, et porter à ébullition. Verser sur le poulet, couvrir et cuire pendant environ 45 minutes en arrosant et en retournant le poulet à trois ou à quatre reprises. Garnir d'oignons verts et servir avec du riz.

POULET À LA SAUCE SOYA ET AU MIEL

3 à 4 portions

Marinade

- ❑ 30 ml (2 c. à soupe) d'huile
- ❑ 60 ml (1/4 t) de sauce soya
- ❑ 60 ml (1/4 t) de miel
- ❑ 60 ml (1/4 t) de vin blanc
- ❑ le jus de 1 citron
- ❑ 60 ml (1/4 t) de jus d'orange
- ❑ 3 gousses d'ail émincées
- ❑ 15 ml (1 c. à soupe) de gingembre frais, râpé (facultatif)
- ❑ 2 grosses poitrines de poulet

1. Chauffer le four à 200 °C (400 °F).

2. Dans un pot en verre, mélanger tous les ingrédients de la marinade. Bien fermer et secouer énergiquement. Verser sur les poitrines de poulet et laisser mariner pendant au moins 4 heures au réfrigérateur. Retourner toutes les heures.

3. Déposer les poitrines de poulet dans un plat allant au four et y verser la marinade. Couvrir (feuille de papier d'aluminium si on n'a pas de couvercle) et cuire au four pendant 1 heure.

Note : Délicieux avec des hauts de cuisses désossés.

Mets végétariens

HOUMOUS

8 portions

- ❏ 1 boîte (540 ml/19 oz) de pois chiches rincés et égouttés ou 250 ml (1 t) de pois chiches secs cuits selon les indications du fabricant
- ❏ le jus de 1 citron
- ❏ 80 ml (1/3 t) de beurre de sésame (tahini)
- ❏ 1 ou 2 gousses d'ail hachées
- ❏ 15 ml (1 c. à soupe) de sel
- ❏ 15 ml (1 c. à soupe) de cumin moulu
- ❏ 15 ml (1 c. à soupe) de coriandre moulue
- ❏ 60 à 125 ml (1/4 à 1/2 t) d'huile d'olive

1. Au mélangeur ou au robot culinaire, mélanger les pois chiches, le jus de citron, le beurre de sésame, l'ail, le sel, le cumin et la coriandre jusqu'à l'obtention d'un mélange lisse. Ajouter de l'huile jusqu'à la consistance désirée. Mélanger.

2. Servir avec du pain pita ou des légumes.

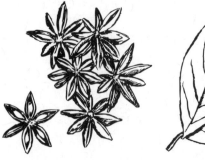

VÉGÉPÂTÉ

24 portions

- ❏ 250 ml (1 t) de graines de tournesol moulues
- ❏ 125 ml (1/2 t) de farine de blé ou de son
- ❏ 125 ml (1/2 t) de levure naturelle, Torula ou Engevita
- ❏ 1 gros oignon, haché finement
- ❏ 1 carotte râpée ou 1 betterave râpée
- ❏ 80 ml (1/3 t) d'huile végétale
- ❏ 375 ml (1 1/2 t) d'eau chaude
- ❏ 1 gousse d'ail écrasée
- ❏ 1 ml (1/4 c. à thé) de thym séché
- ❏ 1 ml (1/4 c. à thé) de basilic séché
- ❏ 1 ml (1/4 c. à thé) de sauge séchée
- ❏ sel et poivre

1. Chauffer le four à 180 °C (350 °F).
2. Mélanger tous les ingrédients et assaisonner au goût. Verser le mélange dans un plat allant au four et cuire 1 heure. Servir chaud ou froid.

Note : Le végépâté se conserve facilement au congélateur.

RATATOUILLE VÉGÉTARIENNE

6 portions

- ❏ 3 gousses d'ail émincées
- ❏ 80 ml (1/3 t) d'huile d'olive
- ❏ 500 ml (2 t) de tomates en dés en conserve
- ❏ sel et poivre
- ❏ 500 ml (2 t) de tomates fraîches, coupées en tranches fines
- ❏ 1 aubergine pelée et coupée en cubes
- ❏ 1 poivron rouge coupé en tranches fines
- ❏ 1 poivron vert coupé en tranches fines
- ❏ 500 ml (2 t) de courgettes coupées en tranches fines
- ❏ 1 oignon coupé en quartiers
- ❏ 750 ml (3 t) de champignons coupés en tranches
- ❏ 10 ml (2 c. à thé) de sel
- ❏ 2 ml (1/2 c. à thé) de poivre
- ❏ 2 ml (1/2 c. à thé) d'origan frais, haché
- ❏ 2 ml (1/2 c. à thé) de basilic frais, haché

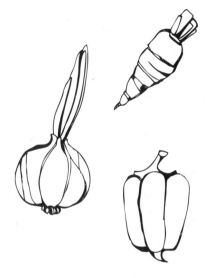

1. Chauffer le four à 190 °C (375 °F).

2. Préparation de la sauce tomate : dans un grand poêlon, faire revenir l'ail dans l'huile. Ajouter les tomates en dés et laisser cuire pendant environ 5 minutes. Saler et poivrer.

3. Dans un plat allant au four, mettre les légumes en étage : les tomates en tranches, l'aubergine, les poivrons, les courgettes, l'oignon et les champignons. Ajouter le sel et le poivre.

4. Verser uniformément la sauce tomate sur les légumes. Cuire au four pendant 40 minutes. Au moment de servir, parsemer la ratatouille d'origan et de basilic.

TABOULÉ

6 à 8 portions

- ❏ 625 ml (2 1/2 t) de boulgour ou de quinoa
- ❏ 60 ml (1/4 t) de pois chiches germés ou trempés 8 heures, cuits selon les indications du fabricant (facultatif)
- ❏ 180 ml (3/4 t) de menthe fraîche, hachée ou 30 ml (2 c. à soupe) de menthe séchée
- ❏ 180 ml (3/4 t) d'oignons verts hachés
- ❏ 80 ml à 125 ml (1/3 t à 1/2 t) de jus de citron
- ❏ 375 ml (1 1/2 t) de persil frais, haché très finement
- ❏ 3 tomates coupées en dés
- ❏ 60 ml (1/4 t) d'huile d'olive
- ❏ 1 gousse d'ail écrasée
- ❏ 5 ml (1 c. à thé) de basilic séché
- ❏ 1 ml (1/4 c. à thé) de sel

1. Dans une casserole, cuire le boulgour pendant 10 minutes dans 625 ml (2 1/2 t) d'eau bouillante salée, puis laisser reposer pendant 15 minutes jusqu'à ce qu'il atteigne la température ambiante.

2. Dans un saladier, mélanger tous les ingrédients, puis laisser reposer le taboulé pendant au moins 1 heure au réfrigérateur. Si désiré, servir accompagné de pains pitas ou en farcir des endives.

SALADE CÉSAR

6 portions

- ❏ 1 gousse d'ail coupée en deux
- ❏ 180 ml (3/4 t) d'huile d'olive
- ❏ 5 ml (1 c. à thé) de sel
- ❏ 1 ml (1/4 c. à thé) de poivre
- ❏ 15 ml (1 c. à soupe) de sauce Worcestershire
- ❏ 45 ml (3 c. à soupe) de jus de citron
- ❏ 30 ml (2 c. à soupe) de vinaigre
- ❏ 1 œuf légèrement battu
- ❏ 3 l (12 t) de laitue romaine déchiquetée
- ❏ 60 ml (1/4 t) de fromage parmesan râpé
- ❏ 45 ml (3 c. à soupe) de câpres
- ❏ 250 ml (1 t) de croûtons
- ❏ 10 à 12 de filets d'anchois

1. Dans un bol, faire tremper l'ail dans l'huile pendant au moins 3 heures. Retirer l'ail et mélanger 125 ml (1/2 t) d'huile, le sel, le poivre et la sauce Worcestershire. Réserver.

2. Déposer la laitue dans un saladier. Dans un bol, mélanger le jus de citron, le vinaigre, l'œuf et le mélange d'huile d'olive-sauce Worcestershire. Verser sur la laitue.

3. Garnir de parmesan, de câpres, de croûtons et de filets d'anchois.

Accompagnement

RIZ PILAF

4 portions, en accompagnement

- ❏ 250 ml (1 t) de riz blanc à grains longs
- ❏ 125 ml (1/2 t) de beurre
- ❏ 375 ml (1 1/2 t) de consommé ou de bouillon de bœuf
- ❏ 2 ml (1/2 c. à thé) de sel
- ❏ 1 feuille de laurier
- ❏ 1 petit oignon
- ❏ 2 clous de girofle

1. Chauffer le four à 180 °C (350 °F).

2. Rincer le riz à l'eau froide et bien égoutter.

3. Dans une casserole allant au four, faire fondre environ 15 ml (1 c. à soupe) du beurre. Faire revenir le riz à feu moyen pendant 2 minutes. Ajouter le consommé de bœuf, le sel et la feuille de laurier. Placer l'oignon entier piqué de clous de girofle au centre du riz. Porter à ébullition. Couvrir et cuire au four pendant 30 minutes.

4. À la sortie du four, ajouter le reste du beurre et bien mélanger. Retirer l'oignon piqué de clous de girofle et servir chaud.

BROWNIES

- ❏ 80 ml (1/3 t) de beurre
- ❏ 180 ml (3/4 t) de sucre
- ❏ 2 œufs
- ❏ 180 ml (3/4 t) de farine tamisée
- ❏ 2 ml (1/2 c. à thé) de poudre à pâte
- ❏ 1 ml (1/4 c. à thé) de sel
- ❏ 125 ml (1/2 t) de noix
- ❏ 5 ml (1 c. à thé) de vanille
- ❏ 2 carrés de chocolat mi-amer, fondus au bain-marie

1. Préchauffer le four à 180 °C (350 °F) et beurrer un moule carré de 20 cm (8 po) de côté.

2. Dans un bol, défaire le beurre en crème et ajouter graduellement la moitié du sucre.

3. Dans un autre bol, battre les œufs avec le reste du sucre jusqu'à consistance légère. Incorporer le mélange d'œufs au mélange de beurre. Bien mélanger.

4. Tamiser la farine une première fois pour la mesurer, puis tamiser de nouveau avec la poudre à pâte et le sel.

5. Ajouter graduellement le mélange de farine et les noix au mélange d'œufs en mélangeant bien entre chaque addition. Incorporer la vanille et le chocolat fondu. Verser dans le moule beurré et cuire au four de 25 à 30 minutes.

CARRÉ AUX DATTES

Garniture aux dattes

- ❑ 450 g (1 lb) de dattes dénoyautées et hachées
- ❑ 125 ml (1/2 t) d'eau froide ou de jus d'orange
- ❑ 2 ml (1/2 c. à thé) de zeste d'orange
- ❑ 5 ml (1 c. à thé) de vanille
- ❑ 15 ml (1 c. à soupe) de beurre

Mélange de farine

- ❑ 250 ml (1 t) de flocons d'avoine
- ❑ 250 ml (1 t) de farine
- ❑ 180 ml (3/4 t) de cassonade
- ❑ 250 ml (1 t) de beurre

1. Chauffer le four à 180 °C (350 °F) et graisser légèrement un moule carré de 23 cm (9 po) de côté.

2. Préparation de la garniture : déposer tous les ingrédients de la garniture dans une casserole et cuire à feu moyen jusqu'à ce que les dattes soient légèrement défaites et que le liquide se soit évaporé.

3. Dans un bol, mélanger les flocons d'avoine, la farine et la cassonade. Ajouter le beurre et, à l'aide de deux couteaux ou d'un coupe-pâte, travailler la préparation jusqu'à la consistance désirée.

4. Étendre la moitié du mélange de farine au fond du moule graissé et presser légèrement. Étaler avec soin la garniture aux dattes par-dessus. Étendre le reste du mélange de farine et presser légèrement. Cuire au four pendant 30 minutes.

PAIN DORÉ

- ❏ 3 œufs
- ❏ 250 ml (1 t) de lait
- ❏ 15 ml (1 c. à soupe) de sucre
- ❏ 15 ml (1 c. à soupe) de cannelle moulue
- ❏ 2 ml (1/2 c. à thé) de sel
- ❏ 6 tranches de pain
- ❏ 45 ml (3 c. à soupe) de beurre

1. Battre ensemble les œufs, le lait, le sucre, la cannelle et le sel.

2. Tremper les tranches de pain dans le mélange aux œufs en s'assurant de bien imbiber les deux côtés de chaque tranche.

3. Dans un grand poêlon, faire fondre le beurre. Faire brunir chaque tranche de pain 2 minutes de chaque côté. Servir avec du sirop d'érable.

4. Pour varier, on peut utiliser du lait au chocolat plutôt que du lait ordinaire, ou remplacer la cannelle par de la muscade, du gingembre moulu ou de la cardamome.

PAIN AUX BANANES

- ❏ 500 ml (2 t) de farine
- ❏ 2 ml (1/2 c. à thé) de poudre à pâte
- ❏ 2 ml (1/2 c. à thé) de sel
- ❏ 4 ml (3/4 c. à thé) de bicarbonate de soude
- ❏ 125 ml (1/2 t) de beurre ramolli
- ❏ 375 ml (1 1/2 t) de sucre
- ❏ 2 œufs
- ❏ 5 ml (1 c. à thé) de vanille
- ❏ 60 ml (1/4 t) de lait
- ❏ 250 ml (1 t) de banane bien mûre, écrasée

1. Chauffer le four à 180 °C (350 °F) et graisser un moule à pain.

2. Tamiser ensemble la farine, la poudre à pâte, le sel et le bicarbonate de soude.

3. Dans un grand bol, défaire le beurre en crème, ajouter le sucre et battre de 2 à 3 minutes, jusqu'à consistance légère. Ajouter les œufs, un à la fois. Ajouter la vanille. Incorporer les ingrédients secs au mélange de beurre en alternant avec le lait, en battant bien entre chaque addition. Incorporer la banane écrasée et bien mélanger.

4. Verser la pâte dans le moule graissé et cuire au four de 45 minutes à 1 heure ou jusqu'à ce qu'un cure-dents inséré au centre du pain en ressorte propre.

MUFFINS AU SON ET AU CHOCOLAT

24 muffins

- ❏ 430 ml (1 3/4 t) de farine
- ❏ 25 ml (5 c. à thé) de poudre à pâte
- ❏ 5 ml (1 c. à thé) de sel
- ❏ 250 ml (1 t) de sucre fin
- ❏ 160 ml (2/3 t) de cacao
- ❏ 310 ml (1 1/4 t) de son nature
- ❏ 2 œufs
- ❏ 250 ml (1 t) de lait
- ❏ 5 ml (1 c. à thé) de vanille
- ❏ 160 ml (2/3 t) d'huile végétale

1. Chauffer le four à 190 °C (375 °F). Tapisser 24 moules à muffins de moules en papier.

2. Au-dessus d'un bol, tamiser la farine, la poudre à pâte, le sel, le sucre et le cacao. Ajouter le son et mélanger.

3. Battre les œufs jusqu'à ce qu'ils soient mousseux, puis incorporer le lait, la vanille et l'huile.

4. Creuser un puits au centre du mélange de farine. Verser graduellement les ingrédients liquides au centre du puits. Mélanger doucement de façon à humecter la farine pour obtenir une pâte granuleuse. Répartir la pâte dans les moules (les remplir aux 2/3) et cuire au four de 18 à 20 minutes.

PÂTE À CRÊPES SUCRÉE

4 à 6 crêpes, selon la taille et l'épaisseur

- ❑ 160 ml (2/3 t) de farine
- ❑ 1 ml (1/4 c. à thé) de sel
- ❑ 45 ml (3 c. à soupe) de sucre
- ❑ 160 ml (2/3 t) de lait
- ❑ 2 œufs
- ❑ 30 ml (2 c. à soupe) de crème
- ❑ 15 ml (1 c. à soupe) de rhum brun ou de cognac (facultatif)

1. Déposer la farine, le sel et le sucre dans un bol.

2. Creuser un puits au centre de la farine et ajouter le lait petit à petit pour délayer la pâte sans faire de grumeaux. Ajouter les œufs, un à la fois, et battre au fouet entre chaque addition.

3. Couvrir d'un linge humide et laisser reposer pendant 2 heures à la température ambiante. Ajouter la crème et le rhum, si désiré.

Note : Pour employer la pâte tout de suite, ajouter 2 ml (1/2 c. à thé) de poudre à pâte.

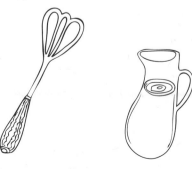

PÂTE BRISÉE AU BEURRE

1 très grande abaisse

- ❏ 180 ml (3/4 t) de beurre
- ❏ 680 ml (2 3/4 t) de farine (ne pas tasser)
- ❏ 1 œuf battu
- ❏ 45 ml (3 c. à soupe) de lait

1. Dans un bol, ajouter le beurre à la farine et, à l'aide d'un coupe-pâte ou de deux couteaux, travailler la préparation jusqu'à la formation de morceaux de la taille d'un petit pois. Creuser un puits au centre de la pâte.

2. Mélanger l'œuf et le lait. Verser graduellement dans le puits et mélanger. Pétrir légèrement jusqu'à la formation d'une boule. Couvrir la boule de pâte, sans serrer, et laisser reposer pendant 30 minutes sur une planche farinée avant de l'abaisser.

3. Cuire au four préchauffé à 425 °F (220 °C) pendant 30 minutes.

PÂTE BRISÉE (À L'ANCIENNE)

2 abaisses de 23 cm (9 po)

- ❏ 750 ml (3 t) de farine
- ❏ 5 ml (1 c. à thé) de sel
- ❏ 250 ml (1 t) de saindoux
- ❏ 125 ml (1/2 t) d'eau froide

1. Tamiser la farine et le sel. Réserver 125 ml (1/2 t) de farine.

2. Ajouter le saindoux dans le mélange de farine et, à l'aide de deux couteaux ou d'un coupe-pâte, travailler la préparation jusqu'à la formation de morceaux de la taille d'un petit pois.

3. Ajouter graduellement l'eau dans le reste de la farine réservée. Incorporer petit à petit dans le mélange de farine et de saindoux. Mélanger jusqu'à la formation d'une boule lisse.

4. Couvrir d'une pellicule de plastique, sans serrer, et laisser reposer pendant 30 minutes au réfrigérateur.

5. Une fois la pâte refroidie, l'abaisser à l'épaisseur souhaitée sur un plan de travail fariné.

6. Cuire au four préchauffé à 425 °F (220 °C) pendant 30 minutes.

Chapitre 6
L'esprit pratique au quotidien

S'installer et s'équiper, ce n'est pas tout. Encore faut-il savoir économiser, se débrouiller, conserver la chaleur chez soi en hiver, distinguer une coquerelle d'une fourmi et une fourmi d'une punaise de lit, nettoyer son four, faire du vélo intelligemment, organiser son frigo, faire sa lessive et recoudre un bouton, faire de sa carte de crédit une alliée plutôt qu'une ennemie, savoir quoi faire si on choisit de renouveler ou de ne pas renouveler son bail, et savoir cuisiner quelques plats (vous trouverez des recettes p. 129). C'est l'objet de la présente section, qui ne prétend pas apporter toutes les réponses, mais qui saura vous dépanner sur une foule de choses (quoi faire quand on perd ses papiers ?). Allons-y donc.

Comprendre et utiliser son frigo

Pièce essentielle de la cuisine et véritable symbole des vertus du progrès, le réfrigérateur n'est pas qu'un entrepôt à nourriture, c'est un organisme subtil qui mérite d'être entretenu et organisé convenablement. En respectant quelques règles d'organisation et d'entretien de base, il saura tenir vos aliments périssables au frais – à distance pour un certain temps des contaminations bactériennes de toutes sortes – et les conserver plus longtemps.

Acheter un frigo : neuf ou d'occasion ?

L'achat d'un réfrigérateur neuf constitue un investissement de taille, pouvant coûter plus de 1000 $, bien qu'il soit possible d'acheter des modèles économiques pour la moitié de ce prix. Dès lors, si vous devez acheter un frigo, en acheter un d'occasion (muni d'un congélateur intégré) est une solution à envisager. En visitant un fournisseur d'électros d'occasion digne de confiance, vous pourrez vous procurer pour une fraction du prix (250 $ et plus) un réfrigérateur remis à neuf et sous garantie (1 an pièces et main-d'œuvre), parfois livré à domicile. Si vous louez un logement dit « semi-meublé », la question est a priori réglée, car le réfrigérateur est habituellement fourni. Encore faudra-t-il vous assurer de son bon fonctionnement lors de la visite et d'en prendre soin comme si c'était le vôtre : le fait d'utiliser un bien loué n'est pas prétexte à la négligence, surtout si l'appareil sert à conserver votre nourriture !

Respecter la chaîne du froid

La température interne d'un frigo devrait être maintenue à 4 °C, bien qu'il puisse y avoir des écarts minimes d'un ou deux degrés entre les différentes sections du frigo (bacs et clayettes). La température idéale pour contrôler la prolifération des bactéries alimentaires devrait se situer entre 0 et 4 °C. Au besoin, munissez votre appareil d'un thermomètre qui vous indiquera la température interne du frigo. Pour contrôler la température, le système de réfrigération est muni d'un thermostat, mais pas toujours d'un thermomètre.

Enfin, point essentiel à comprendre : le froid ne se distribue pas également dans un réfrigérateur, mais en différentes « zones de froid »; la plus froide (2 à 4 °C) se situe à la tablette inférieure. C'est pourquoi il est important de répartir vos aliments dans les zones de froid qui leur conviennent le mieux :

– Dans la zone inférieure (4 °C et moins), placez les aliments les plus périssables comme la viande et les poissons frais, et les aliments en voie de décongélation : n'oubliez pas de les mettre sur des essuie-tout pour absorber les liquides qui pourraient s'en écouler. Enfin, placez-y aussi le pot de mayonnaise, aliment périssable entre tous.

– Dans la zone fraîche (clayettes du centre et supérieure, 4 à 6 °C), mettez les restes et les aliments cuits, les plats cuisinés, les compotes et produits laitiers (yogourt, crème), les charcuteries et les gâteaux, le lait et les fromages frais, les soupes, les œufs (il vaut mieux les placer sur la clayette centrale que dans la porte), ainsi que la plupart des aliments emballés portant la mention « réfrigérer après ouverture ».

– Sachez aussi que les bacs à légumes et les étagères de rangement de la porte sont les deux zones les plus « chaudes » du réfrigérateur. Les bacs à légumes sont destinés aux fruits et aux légumes. Dans les espaces de rangement de la porte, mettez les produits qui se conservent le plus longtemps, comme les boissons, les vinaigrettes et les condiments (moutarde, ketchup...), les confitures, le beurre et certaines huiles.

Les 10 commandements du frigo

– **N'encombrez pas votre réfrigérateur**, car cela empêcherait la circulation de l'air froid et causerait une baisse de température. Aussi, élevez la température de refroidissement durant les mois d'été afin de la maintenir stable à l'intérieur.

– Pour désodoriser votre réfrigérateur, **déposez une boîte ouverte de bicarbonate de soude** au fond d'une clayette et remplacez-la tous les 3 mois.

- Si votre réfrigérateur comporte un congélateur, **assurez-vous que la température interne du congélateur est de –18 degrés ou plus basse**. Notez aussi que les aliments congelés ne se conservent pas indéfiniment. Pour plus de sécurité, faites une rotation complète de tous les aliments congelés **tous les 6 mois**. Enfin, si la partie congélateur accumule du givre, dégivrez-la tous les 3 à 4 mois afin d'optimiser son fonctionnement et d'économiser l'énergie.

- **Ne mettez pas de nourriture encore chaude dans le réfrigérateur**, au risque de perturber l'équilibre de la chaîne du froid et de causer une augmentation de la température. Avant de mettre les aliments réchauffés ou cuits au frigo, laissez-les refroidir à la température ambiante pendant 2 heures au maximum avant de les ranger au froid.

- **Ne jamais, jamais, jamais recongeler un aliment qui a été décongelé au préalable**. Comme le fait de décongeler et recongeler un aliment accélère la croissance des bactéries qui résistent au froid, les risques de subir une intoxication alimentaire importante en consommant cette nourriture sont très élevés.

- Sachez aussi que **certains aliments n'ont pas besoin ou gagnent même à ne pas être réfrigérés** : c'est le cas des pommes de terre et des tomates (qui perdent leurs vitamines au contact du froid), de la plupart des fruits exotiques, des bananes, concombres et courgettes. Ces aliments préfèrent la température ambiante.

- Enfin, pour assurer un bon roulement des aliments dans votre réfrigérateur, prenez l'habitude de **placer les articles récemment achetés au fond** du frigo et de mettre à l'avant ceux qui s'y trouvent déjà, pour ne pas oublier de les consommer rapidement. Vous éviterez ainsi de faire du fond de votre réfrigérateur un étrange laboratoire.

- **Ne rincez pas vos fruits à l'avance**. Ce contact prématuré avec l'humidité accélérerait leur vieillissement et l'apparition de moisissures. Contentez-vous de les rincer juste avant de les consommer.

- **Inspectez régulièrement et faites le ménage de vos bacs à légumes**. Soyez à l'affût des fruits défraîchis, telle cette pomme ratatinée, car certains fruits et légumes trop mûrs produisent de l'éthylène, un gaz qui pourrait accélérer le vieillissement d'autres denrées alimentaires.

- **Ne laissez pas, non plus, les aliments et les restes à découvert dans le réfrigérateur**. Utilisez plutôt des contenants en verre ou en plastique, ou des sacs, pour les entreposer. Évitez le carton, qui fait baisser la température.

Entretenir son frigo

C'est évident qu'un frigo propre diminue les risques de contamination bacté-rienne des aliments. Veillez donc à le nettoyer sur une base régulière.

– **Au quotidien**, ne laissez pas traîner les miettes et les écoulements de toutes sortes. Intervenez rapidement ! Les petits dégâts sont plus faciles à nettoyer quand ils sont récents. Nettoyez les fuites et les dépôts avec un linge trempé dans une solution à base d'eau et de vinaigre blanc.

– **Prévoyez nettoyer votre frigo en profondeur une fois par mois**. Après en avoir placé le contenu dans une glacière (moment parfait pour se débarrasser des substances inconnues), nettoyez les parois de votre réfri-gérateur avec une éponge trempée dans une solution d'eau et de vinaigre. Autre solution : aspergez les surfaces d'une solution d'eau légèrement javellisée (environ 5 ml d'eau de Javel pour 1 litre d'eau), puis nettoyez. Il est également important de nettoyer les joints d'étanchéité et la poignée de la porte.

– Enfin, pensez aussi à **nettoyer l'arrière du frigo une fois l'an**. Les poussières s'accumulent facilement autour des serpentins et du conden-sateur (situé au bas du réfrigérateur). En débarrasser votre réfrigérateur pourrait en réduire le bruit et augmenter son efficacité énergétique.

Et puisque nous venons de parler du réfrigérateur, attaquons-nous à ceux qui sont souvent ses proches voisins dans la cuisine...

Nettoyer la cuisinière et le micro-ondes

Il est tout aussi important de garder ses fours propres : un four, ça se salit rapidement. En effet, pendant que vous cuisez ou que vous réchauffez des aliments, des projections d'aliments, de liquides et de graisses peuvent se produire sous l'effet de la chaleur. Elles éclaboussent les parois du four et si elles sont assez faciles à nettoyer dans un four micro-ondes (si on n'attend pas trop longtemps avant de le faire), leur accumulation dans un four traditionnel dégénérera vite en un dépôt épais et calciné de taches coriaces sur toutes les parois, rappelant l'art contemporain. Ce qui pourrait aussi dégager des odeurs de brûlé déplaisantes pendant la cuisson.

Avant de devoir vous astreindre à une corvée de grand nettoyage – celle qui s'impose devant les situations extrêmes –, adoptez l'habitude de nettoyer les fours régulièrement : après chaque utilisation pour le four micro-ondes, et une fois par mois pour le four traditionnel, ou après chaque opération particulière-ment « propulsante ». Nettoyer le four pendant qu'il est encore chaud – mais pas au point de vous brûler – facilite la besogne.

L'entretien du four micro-ondes est facile : contentez-vous de vaporiser les surfaces intérieures du four, sans oublier la porte, la poignée et autres surfaces de contact, avec une solution de vinaigre blanc et d'eau (environ moitié-moitié) et épongez le tout. Pour les cas plus difficiles, répétez l'opération avec la même solution (dans laquelle vous aurez ajouté un peu de savon à vaisselle), et jurez-vous de ne plus jamais attendre d'en arriver à ce point avant d'agir.

Pour ce qui est des fours traditionnels, autant dire que le nettoyage d'un four bien encrassé par des mois d'utilisation n'est pas la plus agréable ni la plus reposante des expériences. Le marché abonde de nettoyants en aérosol pour fours qui prétendent apporter une solution simple et sans effort à ce problème, mais il ne faut pas toujours se fier aux étiquettes. Celles-ci racontent qu'il suffit de vaporiser le produit sur toutes les surfaces intérieures du four (en ayant pris soin de protéger les éléments chauffants avec de l'aluminium, et de tapisser de papier journal les surfaces du plancher susceptibles de recevoir des écoulements dudit produit nettoyant hyper corrosif, ce qui ne rend déjà plus la tâche si simple que cela), puis de laisser reposer un certain temps (entre une heure et une nuit), avant d'éponger le tout.

Devant de pareils produits, nous osons lever un sourcil méfiant. Ces puissants solvants sous forme de cocktail chimique dont la manipulation impose de nombreuses précautions (éviter tout contact avec la peau, employer dans un milieu aéré, etc.) ne nous inspirent pas confiance quand s'agit de les employer sur des instruments indispensables à la cuisson de la nourriture.

Aussi, contre cette solution chimique, nous proposons la suivante :

– Préparer une pâte de bicarbonate de soude en mêlant au bicarbonate une faible quantité d'eau ;

– Répartir la pâte sur les endroits tachés (ce qui veut parfois dire toutes les surfaces) ;

– Laisser agir pendant 7 ou 8 heures (pendant la nuit, par exemple) ;

– Nettoyer le tout avec une éponge humide par la suite.

Si des taches persistent, vous en aurez probablement déjà éliminé plusieurs et sans doute disparaîtront-elles au prochain nettoyage. N'attendez pas trop avant de répéter l'opération en saupoudrant les taches (nouvelles ou anciennes) de bicarbonate de soude ou en y appliquant de nouveau de la pâte de bicarbonate. Après quelques répétitions, l'intérieur du four aura sans doute l'air presque décent et comme vous aurez pris l'habitude de l'entretenir, devoir nettoyer du goudron compacté comme un ramoneur du 19e siècle sera pour vous chose du passé.

Mieux conserver la chaleur chez soi

On le sait, l'hiver fait exploser la facture énergétique : on rapporte ainsi que les foyers chauffés à l'électricité consacrent plus de 70 % de leurs frais énergétiques en chauffage et en eau chaude uniquement pendant la saison froide. Bien sûr, régulariser vos paiements d'électricité en les répartissant en 12 mensualités égales (grâce au mode de versements égaux d'Hydro-Québec) permet peut-être de rendre votre facture plus digeste d'un mois à l'autre. Malgré tout cette solution ne vous fait pas dépenser moins d'argent en chauffage.

En tant que locataire, vous ne pouvez vous permettre de faire des travaux de rénovation majeurs comme améliorer l'isolation de votre logement. Mais vous pouvez quand même intervenir et réduire vos dépenses de chauffage en appliquant quelques trucs :

- **Gardez les rideaux ouverts pendant la journée et tenez-les fermés pendant la nuit**. Le soleil (quand il y en a) chauffera en partie votre appartement pendant la journée, tandis que les rideaux fermés (la nuit) conserveront une partie de la chaleur accumulée à l'intérieur du logement. De même, tenez les garde-robes et les placards fermés afin de diminuer l'espace dans lequel la chaleur doit se répartir.

- **Dégagez les sorties d'air chaud** (plinthes électriques, calorifères, etc.) de tout ce qui peut les encombrer et bloquer le passage de la chaleur. Nettoyez-les avant de les utiliser pour la première fois : la poussière et l'encombrement nuisent à la bonne répartition de la chaleur.

- **Contrôlez l'humidité de l'appartement** en évitant d'étendre vos vêtements humides à l'intérieur. Si possible, essayez d'aérer l'appartement un quart d'heure par jour à un moment propice, comme après avoir pris une douche : cette aération diminuera du même coup l'humidité accumulée chez vous. Tenez la porte ouverte et ouvrez une fenêtre ou deux pour favoriser la circulation d'air – si, bien sûr, vous ne les avez pas calfeutrées ou recouvertes d'un plastique isolant pour l'hiver. Dans pareil cas, d'autres solutions sont possibles : vous pouvez actionner la hotte de votre cuisinière quelque temps ou faire tourner les ventilateurs de plafond dans le sens horaire. En dirigeant l'air froid vers le haut, le ventilateur fera redescendre l'air chaud (qui a tendance à monter, alors que le froid a tendance à descendre), pour rétablir un certain équilibre. Après quelques minutes, l'air sec du dehors, plus facile à chauffer que l'air humide, et qui sera entré par la porte ou les fenêtres, se substituera à l'air humide de l'appartement.

- Tâchez aussi de **maintenir une température égale** dans tout l'appartement : environ 21 °C durant le jour et 18 °C durant la nuit. Si le logement est équipé de thermostats électroniques programmables, utilisez-les pour régulariser ces variations de température. Sinon, identifiez bien (avec un marqueur, au besoin), les positions des thermostats qui correspondent à ces températures après les avoir mesurées avec un thermomètre portatif.

- **En cas d'absence prolongée, n'arrêtez pas le chauffage**. Cela pourrait causer le gel de la tuyauterie. Contentez-vous d'ajuster la température entre 12 et 15 degrés.

- Appliquez si possible une **pellicule plastique isolante** sur les fenêtres qui n'ont pas besoin d'être ouvertes ; installez des coupe-froid aux portes pour réduire les infiltrations d'air froid[11].

- Si vous disposez d'équipement de chauffage au gaz ou au mazout (chauffage et eau chaude), faites-les inspecter une fois par année, de préférence au début du printemps, pour vous assurer qu'ils fonctionnent normalement.

Enfin ! *L'humidité*, disions-nous, *est l'ennemie de la chaleur* – du moins quand vous tâchez de vous chauffer en hiver. Eh bien, parlons de l'eau, car il est important – et certainement le signe d'un comportement responsable – de ne pas gaspiller l'eau. Non seulement pour réduire l'humidité chez soi, ou réduire sa facture énergétique (quand il s'agit d'eau chaude), mais aussi pour réduire son empreinte écologique en adoptant des habitudes responsables. Chacun a sa « juste part » à faire, et voici quelques trucs pour que vous puissiez faire la vôtre :

Économiser l'eau (quelle qu'en soit la température)

Un premier principe : **ne laissez pas couler le robinet pour rien**. Il arrive trop souvent que nous gaspillions des dizaines de litres d'eau propre par jour, par simple distraction. Par exemple, pensez à fermer le robinet pendant que vous vous brossez les dents, car il suffit de laisser couler l'eau une minute sans s'en servir pour en gaspiller près de 10 litres…

Aussi, de manière générale, ayez le réflexe de **fermer le robinet quand vous n'utilisez pas l'eau directement**. Si vous avez l'habitude de laisser couler l'eau chaude pendant que vous vous rasez, choisissez plutôt de boucher le lavabo et de le remplir d'eau chaude, cela fera aussi bien l'affaire. Et puisque nous sommes dans la salle de bains, sachez qu'**un bain consomme beaucoup plus d'eau qu'une simple douche**. Si un bain relaxant est agréable de temps à autre, optez plutôt pour la douche comme manière quotidienne de vous laver. Vous pourrez munir la pomme de douche d'un contrôleur ou d'un interrupteur de débit et vous ferez de bonnes

---

11. L'organisme Options consommateurs offre un service de consultation gratuite en efficacité énergétique aux ménages à faible revenu (22 000 $ et moins par an) dans la zone montréalaise. Leur aide comprend aussi l'exécution gratuite de certains travaux mineurs d'isolation, comme l'isolation des fenêtres et des portes, qui pourront réduire vos dépenses énergétiques. Voir www.option-consommateurs.org/econologis/

économies si vous prenez l'habitude de couper le débit de la douche pendant que vous vous savonnez.

Enfin, pour éviter de gaspiller l'eau dans la cuisine quand il s'agit de rincer les légumes, optez pour un bac à rinçage rempli d'eau (au lieu d'opter pour le robinet ouvert). De même, faites tremper la vaisselle dans un évier plein plutôt que de la passer sous un jet d'eau. En fait, toutes les occasions qui se présentent pour fermer le robinet sont bonnes.

Et puisqu'il est question de robinet, **vérifiez qu'aucun des robinets ne fuit**, surtout celui eau chaude. Remplacez ou faites remplacer les rondelles de contact des robinets fautifs, si c'est le cas (voir **Remplacer les rondelles de contact des robinets**, p. 192). Une goutte qui fuit en permanence, eau chaude ou eau froide, ce sont des dizaines de mètres cube d'eau gaspillée au bout d'un an.

Manier la ventouse

On vous a déjà conseillé de vous procurer une ventouse, et pourquoi pas deux : vous pourriez en destiner une (à manche long) au débouchage exclusif de la cuve des toilettes – une besogne pas très propre, mais nécessaire – et une autre, à manche court, au débouchage de vos conduits d'évier et de lavabo. Quoi qu'il en soit, le principe de leur emploi demeure le même.

Déboucher les toilettes

Vous tirez la chasse d'eau, le niveau de l'eau monte et rien n'est évacué : c'est signe qu'un bouchon s'est formé dans les canalisations. La première chose à faire ? Cesser d'actionner la chasse, au risque d'aggraver le problème en faisant déborder la cuve. Transvidez ensuite l'excédent d'eau dans un seau à l'aide d'un contenant que vous jetterez après, emparez-vous de la ventouse – préférablement en forme de cloche – et placez-la de manière à ce qu'elle recouvre entièrement le fond de la cuvette, puis pompez vigoureusement. Cette opération, avant de débloquer ce qui bouche les canalisations, risque de faire remonter dans la cuve toutes sortes de débris : c'est normal, et signe que l'opération réussit. Après quelques coups, retirez la ventouse et vérifiez si l'eau se retire normalement de la cuve. Répétez l'opération une ou deux autres fois si le problème persiste.

Une autre solution au problème consiste à remplir un grand seau (au moins 20 litres) d'eau froide et de le vider dans la cuve de manière à ce que la pression de l'eau dégage d'elle-même les canalisations. Cela peut fonctionner, mais si vous voyez la cuve se remplir sans qu'une évacuation ne se produise, arrêtez.

Lavabo, évier et baignoire bouchés

D'abord, pour prévenir l'obstruction des conduits du lavabo, de la baignoire et de l'évier, munissez-vous de grilles de drain que vous installerez sur la bonde du lavabo (et de la baignoire, et de l'évier) pour empêcher les matières organiques (bouts de nourriture, cheveux et autres matières) de se glisser dans les canalisations.

Si le problème se produit malgré tout, tentez d'abord de délayer ce qui bouche les canalisations avec une ventouse. Un pompage vigoureux devrait faire remonter les débris qui se sont accumulés. Laissez ensuite l'eau se vider, non sans avoir placé une grille ou un filtre sur la bonde. Vous ne voulez pas que ces débris retournent là d'où vous les avez faits remonter.

Enfin, une remarque : si le lavabo et la baignoire sont munis d'un trop-plein – soit une seconde ouverture d'évacuation pour éviter les débordements –, commencez par le couvrir de ruban adhésif résistant de manière à ne pas provoquer de fuites d'air pendant que vous pompez, puis retirez le ruban adhésif une fois l'opération terminée.

Doit-on utiliser des déboucheurs chimiques ?

S'en remettre à l'action d'un déboucheur chimique vendu dans le commerce peut représenter un risque pour la tuyauterie usée d'un immeuble. Leur pouvoir corrosif est en effet si puissant qu'il peut endommager et fissurer les tuyauteries fatiguées (utilisées depuis environ 40 ans). Si vous ignorez l'âge de la tuyauterie de l'immeuble, la prudence commanderait de ne pas avoir recours à ces produits.

Certains livres et sites Internet proposent cette recette de « déboucheur écologique », sans doute moins puissant, mais aussi moins dangereux. Elle mérite d'être essayée : verser 60 ml (¼ tasse) de bicarbonate de soude dans le drain bouché et 60 ml (¼ tasse) de vinaigre, puis laisser agir environ 15 minutes. Verser ensuite 500 ml (2 tasses) d'eau bouillante dans le drain pour évacuer.

Autres problèmes de plomberie

Remplacer les rondelles de contact des robinets

Vous avez beau employer toutes vos forces pour fermer le robinet, mais il coule toujours : le moment est sans doute venu de remplacer son joint d'étanchéité (ou « rondelle de contact »). Commencez par fermer le robinet principal d'approvisionnement en eau, avant de démonter le robinet fautif. Retirez le joint et conservez-le : la meilleure chose à faire est sans doute de se rendre à la quincaillerie avec la vieille pièce et de la présenter à un employé pour qu'il vous en vende une de même format.

Les toilettes sifflent

Il semble y avoir un écoulement d'eau constant dans la cuve ? Ouvrez le réservoir d'eau et examinez si rien n'empêche la soupape de la chasse d'eau de se fermer. Tirez sur la chasse d'eau pour vérifier si la soupape se referme correctement. Si la fuite persiste, vous devriez peut-être vous demander si remplacer la soupape est votre responsabilité (selon les règlements de l'immeuble) ou celle du propriétaire. Appelez-le pour lui demander son avis : il s'en occupera peut-être lui-même. Mais si c'est la responsabilité du locataire, voici comment procéder : interrompez d'abord l'alimentation en eau de la salle de bains et tirez la chasse d'eau. Lorsque le niveau est bas, remplacez la soupape usée par une neuve que vous vous serez procurée en quincaillerie. Là encore, si vous n'êtes pas sûrs de la marque et du modèle de votre cuvette, présentez la pièce usée au commis afin qu'il vous vende une pièce de modèle identique.

Problèmes du système de remplissage des toilettes

À l'exception du système de vidage actionné par la chasse d'eau, le réservoir des toilettes comporte un système de remplissage dont l'alimentation en eau est contrôlée par un flotteur. En principe, lorsque l'eau atteint le niveau adéquat, le flotteur parvient à une hauteur suffisante pour fermer l'alimentation. Des fuites d'eau peuvent s'ensuivre si le dispositif ne se referme pas et que l'eau submerge le flotteur.

Dans pareil cas, tirez d'abord le flotteur légèrement vers le haut : cela suffira peut-être à fermer le clapet du robinet de remplissage. Sinon, interrompez l'alimentation en eau de la salle de bains, videz le réservoir de la cuve en tirant la chasse et remplacez le système de remplissage. N'oubliez pas de placer un seau sous le réservoir de la cuve pour recueillir l'eau qui s'écoulera lorsque vous remplacerez cette pièce.

Désinfecter la cuve des toilettes

Avant que la partie immergée de la cuve des toilettes ne commence à former des cernes, vider 125 ml (½ tasse) d'eau de Javel dans la cuve, laissez agir une heure environ, puis tirez la chasse d'eau. N'ajoutez aucun autre produit nettoyant dans la cuve et n'utilisez pas la cuve pour soulager vos besoins durant cette opération, car il pourrait en émaner des gaz toxiques. D'ailleurs, il vaut mieux faire cette opération et laisser reposer cette préparation dans une salle de bains bien aérée.

Pour nettoyer la partie non immergée de la cuve des toilettes, prévoyez une paire de gants de ménage, une éponge et une brosse que vous réserverez à l'usage exclusif de cette opération, et utilisez un désinfectant que l'on trouve sur le marché.

Combattre les moisissures

La salle de bains et la cuisine sont des lieux où peuvent se concentrer des taux élevés d'humidité lesquels sont susceptibles, à la longue, de créer des moisissures sur les murs, habituellement sous la forme de taches noires. C'est une des raisons pour lesquelles il faut tenir ces lieux bien aérés en tout temps – en actionnant, par exemple la hotte de ventilation de la cuisine lorsque vous faites cuire des pâtes ou bouillir de l'eau, ou en prenant l'habitude de bien aérer la salle de bains après avoir pris une douche.

Si vous voyez malgré tout de ces taches sur les murs, diluez un peu d'eau de Javel dans de l'eau chaude, soit environ 250 ml (1 tasse) d'eau de Javel pour 4 litres (16 tasses) d'eau. Munissez-vous de gants de ménage, habillez-vous de vêtements usés que vous ne craindrez pas de voir décolorés par des éclaboussures de solution désinfectante et nettoyez les murs avec une éponge propre. Rincez ensuite l'éponge à l'eau et repassez-la sur les murs, puis séchez.

*

Pour en rester dans le domaine du nettoyage et de l'entretien ménager, parlons un peu des soins à accorder à vos vêtements, qu'il vous faudra entretenir eux aussi avec un peu de méthode...

La corvée de lessive

De l'art d'entretenir ses vêtements

Tout autonome que vous êtes, vous ne pourrez échapper à la corvée de lessive, à exécuter régulièrement. Et si vous vous souvenez des mésaventures d'Étienne auxquelles vous avez assisté dans l'avant-propos, vous savez déjà que ça ne se fait pas n'importe comment. Qu'en est-il donc ?

- Commencez par **trier les vêtements par couleur** : Faites un tas pour le blanc et les couleurs très claires, un autre pour les noirs et les teintes foncées, et un troisième pour les couleurs vives (rouge, bleu, vert, etc.).

- Ce faisant, lisez les étiquettes. Pour le « lavage délicat » choisissez le cycle délicat de la machine à laver, par exemple. **Excluez ou mettez de côté les vêtements qui doivent être lavés à la main**. Certaines machines ont un réglage simulant ce mode de lavage très délicat, mais ce n'est pas toujours le cas, alors il vous faudra bel et bien laver ces vêtements à la main (voir p. 195).

- Assurez-vous d'avoir vidé les poches des pantalons et des chemises avant de procéder. Il n'y a rien de tel qu'un mouchoir usé pour gâcher une brassée en y répandant des particules de papier. Retournez les pantalons, chaussettes et chemises à l'envers, ainsi que tous les articles dont l'étiquette recommande qu'ils soient lavés à l'envers.

- Maintenant que vous avez soigneusement séparé les vêtements par couleur, allez-y – lavez chaque couleur dans des brassées différentes et correctement ajustées (cycle normal, cycle doux, etc.). Pour économiser, lavez le tout à l'eau froide : la plupart des savons à lessive sont maintenant formulés pour être efficaces à cette température.

Quelques conseils supplémentaires

Pour les vêtements neufs, il est conseillé de laver une première fois les articles vestimentaires que vous venez d'acheter avant de les porter. Afin d'éviter qu'ils ne déteignent sur les autres (ce qui peut se produire lors d'un premier lavage), lavez-les individuellement ou avec des vêtements de même couleur.

Pour les vêtements artisanaux, faits à la main, importés, achetés à l'étranger ou qui ne comportent aucune étiquette, **ne prenez pas de risque** : **lavez-les à la main** et vérifiez, en cours de processus, s'ils déteignent. Cette situation pourrait se poursuivre après un premier lavage, car la coloration de ces vêtements ne se fait pas toujours à l'aide d'un fixateur de teinture. Assurez-vous qu'ils ont cessé de déteindre au lavage à la main avant de vous risquer au lavage à la machine (si les tissus, bien entendu, ne semblent pas trop délicats. Auquel cas : lavage à la main, encore et toujours).

Laver ses vêtements à la main

Les vêtements dont l'étiquette comporte la mention « Laver à la main » pourraient facilement s'endommager ou rétrécir si on les lavait à la machine. Voici comment en prendre soin :

>> Séparez les vêtements par couleur, comme pour les autres types de vêtement : des couleurs claires à foncées.

>> Remplissez d'eau tiède (à la température ambiante) une bassine d'eau, l'évier ou la baignoire, en y mélangeant un peu de lessive conçue pour les vêtements délicats.

>> Commencez par faire tremper les vêtements clairs dans l'eau quelques minutes. Vous pouvez les remuer, mais *doucement* ! Ne les frottez pas ou ne les tordez pas, ne les essorez pas non plus.

>> Étendez ensuite les vêtements humides sur une grande serviette ; répétez l'opération de trempage pour les autres articles en passant graduellement des couleurs claires aux couleurs foncées, trempées séparément.

>> Videz et rincez le contenant, puis remplissez-le d'eau propre. Rincez-y les vêtements, en commençant de nouveau par les couleurs claires pour finir par les couleurs foncées. N'essorez pas et ne tordez pas les vêtements.

>> Posez ensuite les vêtements à plat sur une serviette propre, installée, par exemple, sur un séchoir à linge, et faites-les sécher à l'air libre. Pour les aider à conserver leur forme initiale, mettez une seconde serviette par-dessus. Pour le reste, soyez patient.

*

Bien suspendus sur des cintres ou séchés à plat – pour peu qu'on y passe parfois la main pour défaire les plis –, nombre de vêtements n'ont pas besoin d'être repassés. Les jeans et les pantalons se défroissent souvent d'eux mêmes après avoir été portés, et les draps, bien étendus au séchage, gardent leur souplesse. Mais il est difficile d'éviter le repassage avec les vêtements qui se froissent facilement. Alors, on ressort le fer et la planche à repasser du placard et on commence.

Repasser ses chemises

D'abord, remplissez la réserve d'eau du fer avant de le brancher et de l'utiliser. En lisant bien les étiquettes des vêtements, prévoyez commencer par les articles qui doivent être repassés à la plus basse température (tissus délicats) et finissez la besogne par ceux qui demandent une température élevée (cotons, tissus épais et résistants).

Si vous n'êtes pas sûr que la température du fer est adéquate, appliquez-le à un endroit discret de l'article à repasser. Si les plis ne disparaissent pas à son contact, augmentez la température. Si le tissu tend à coller, le fer est manifestement trop chaud. La température est adéquate si les plis du tissu disparaissent et que ce dernier ne colle pas au fer.

Enfin, une fois ces vérifications faites :

>> Repassez le col d'abord. Relevez le col de la chemise et repassez-en d'abord la face interne, par petits mouvements circulaires allant de l'extérieur vers le centre. Puis repassez les manchettes.

>> Repassez ensuite le dos et les pans du devant de la chemise, toujours à la face interne, en prenant soin de ne pas passer la pointe du fer sur les boutons, mais entre eux.

>> Repassez ensuite les manches (des deux côtés), posées à plat sur la planche, en suivant la ligne de couture, et repassez la région entre le col et les épaules, toujours par mouvements circulaires.

>> Si nécessaire, retournez la chemise à l'endroit et répétez les opérations dans cet ordre avant de la suspendre ou de la porter.

Combattre les taches

Taches de graisse, de vin, de sang, de café, de sauce, de jus ou de boue sur les tissus du fauteuil ou sur les vêtements que vous portez, sur les draps ou les tapis... Quelle qu'elle soit et quel que soit l'objet qui en est touché, la tache exige qu'on agisse vite pour la faire disparaître. Au premier signe, il faudra d'abord absorber l'excédent de matière ou de liquide tachant avec une éponge propre et légèrement humide ou avec du papier essuie-tout. Attention : ne frottez pas l'endroit taché en profondeur, tamponnez-le seulement, pour éviter que la substance s'imprègne encore davantage dans le tissu (et fasse « tache d'huile », comme on dit). Déterminez ensuite de quel genre de tache il s'agit.

>> **Pour les taches graisseuses**. Absorbez d'abord l'excédent de gras avec du papier essuie-tout ; au choix, saupoudrez ensuite la tache d'un détachant commercial, de talc (poudre), de farine ou d'amidon de maïs et tamponnez de nouveau. Après avoir absorbé l'excès de gras, appliquez un solvant ou du savon à lessive et laissez agir avant de tamponner de nouveau à l'aide d'une éponge humidifiée avec de l'eau chaude.

>> **Pour le vin rouge**. Appliquez du sel pour absorber l'excédent et tamponnez avec un essuie-tout. Appliquez ensuite un mélange d'eau mêlée à un peu de vinaigre et de nettoyant à lessive et tamponnez le tout avec un essuie-tout, puis rincez à l'eau froide.

>> **Pour les jus de fruits foncés** (bleuets, framboises), tamponnez la tache, puis frottez-la avec un demi-citron ou tamponnez à l'aide de boules de coton enduites d'alcool à brûler.

>> **Taches de café**. Rincez la tache à l'eau chaude. Appliquez un mélange d'eau et de détergent à lessive, puis rincez de nouveau avec de l'eau chaude.

>> **Taches de sang.** Tamponnez immédiatement les taches avec de l'eau froide fortement salée, puis frottez avec du vinaigre blanc. Essayez le peroxyde sur les tissus blancs ou qui ne décolorent pas.

>> **Traces de boue**. Attendez d'abord qu'elles aient complètement séché, grattez l'excédent avec une brosse et utilisez l'aspirateur pour ramasser les débris. Si des taches persistent, utilisez une solution faite d'eau et d'un peu de savon à lessive.

Les principales étiquettes de l'entretien des vêtements

Les symboles de lavage

>> Lavage à l'eau bouillante [95°]

>> Lavage à l'eau chaude [60°]

>> Lavage à l'eau tiède [40°]

>> Lavage à n'importe quelle température

>> Lavage délicat à la main

>> Utiliser un agent de blanchiment si nécessaire (eau de Javel) △

>> Utiliser un agent de blanchiment non chloré seulement (javellisant)

>> Ne pas utiliser d'agent de blanchiment

>> Nettoyage à sec seulement ◯

>> Ne pas nettoyer à sec ⊗

>> Ne pas laver

Les symboles de séchage

>> Séchage par culbutage (sécheuse) à température élevée

>> Séchage par culbutage à température moyenne, réglage normal

>> Séchage par culbutage à température moyenne, réglage pressage permanent

>> Séchage par culbutage à basse température

>> Séchage par culbutage à n'importe quelle température

>> Ne pas sécher par culbutage

Les symboles de repassage

>> Repasser à température élevée

>> Repasser à température moyenne

>> Repasser à basse température

>> Ne pas repasser

*

Maintenant, supposons que vous venez de terminer votre lessive, et que vous vous apercevez qu'un bouton manque à l'une de vos chemises ou de vos articles favoris, ou qu'il y a un trou dans l'une de vos chaussettes préférées. Pour effectuer ces menues réparations, vous devez savoir manier le fil et l'aiguille.

La boîte à couture

Pour disposer d'une boîte à couture de base, il suffit de posséder : des aiguilles à coudre, quelques bobines de fil des principales couleurs (noir, blanc, beige, gris), un dé à coudre, des épingles et des épingles de sureté, une paire de ciseaux, ainsi qu'un ruban à mesurer. Avant de vous attaquer à la réparation de vos pièces favorites, vous pourrez toujours parfaire vos talents en vous exerçant sur une vieille pièce de vêtement qui vous servira de laboratoire.

Coudre un bouton

Si vous perdez un bouton, sachez que la plupart des chemises comporté des boutons de rechange au bas de leur bordure intérieure. Emparez-vous d'un de ces boutons en rompant les fils avec une paire de ciseaux fins et éliminez les fils qui restent en passant délicatement une aiguille sous la couture. Puis :

>> Passez le fil par le trou d'une aiguille et doublez-le en attachant ses deux extrémités ensemble.

>> Repérez l'endroit où se trouvait le bouton perdu.

>> De là, passez l'aiguille sous le tissu et tirez complètement le fil jusqu'au nœud. Faites glisser le bouton le long du fil et maintenez-le en position sur le tissu.

>> Pour que le bouton ne soit ni trop collé ni trop loin du tissu, placez une allumette à plat entre le bouton et le tissu, afin de leur laisser un peu de « jeu ».

>> Piquez l'aiguille dans l'autre trou – observez si les fils sont croisés ou en parallèle sur les autres boutons, pour respecter le même motif – et passez-y le fil au complet ; répétez l'opération de quatre à six fois.

>> Pour finir, passez l'aiguille par-dessous, mais ressortez-la entre le bouton et le tissu (sans passer par les trous du bouton). Enroulez le fil autour de la tige de fil qui s'est formée entre le bouton et le tissu et serrez.

>> Faites traverser l'aiguille deux fois à travers la tige et coupez : ça devrait tenir.

Repriser un trou dans une chaussette

Si vous voyez un trou dans une de vos chaussettes, le mieux est de le repriser le plus tôt possible avant qu'il ne s'agrandisse.

>> Insérez un œuf de reprisage ou un simple galet (enfin un objet rond et lisse) dans la chaussette pour vous faciliter la besogne.

>> Faites des points parallèles avec un fil et une aiguille aux alentours du trou pour en renforcer les bords ; prévoyez un diamètre d'environ 2 cm autour du trou, en piquant de l'intérieur et de l'extérieur et inversement, pour former une rangée de points parallèles.

>> Cousez ensuite des rangées de points verticaux que vous tisserez avec les rangs horizontaux pour obtenir un quadrillage de fils croisés à angle droit qui combleront le trou.

>> Une fois cela fait, faites un nœud sur la face extérieure de la chaussette. Et voilà !

*

On peut rencontrer, tous les jours, une variété de problèmes difficilement classables. Au menu de la section suivante, vous trouverez donc des solutions et des pistes pour pallier à quelques ennuis désagréables.

Quelques aléas de la vie

Perdre ses clés, être incapable de rentrer chez soi

Tôt ou tard, cela finit par arriver. Vous fermez la porte, prêt à partir, vous avez par réflexe bloqué de l'intérieur la poignée de porte et voilà que, quelques pas plus loin, en fouillant distraitement dans vos poches, vous vous apercevez que vous avez laissé vos clés à l'intérieur.

Autant dire que la gravité de la situation (et de ce que vous devrez peut-être débourser pour la corriger) dépend de plusieurs variables :

– Si, en prenant possession des lieux, vous avez fait faire un double de vos clés pour le confier à un ami demeurant près de chez vous ou à un voisin digne de confiance, il suffira d'aller frapper chez eux ou de les appeler pour vous tirer d'embarras. Sinon, votre propriétaire vous portera peut-être secours rapidement si vous réussissez à le joindre, à condition qu'il n'habite pas trop loin de chez vous.

– Si, cependant, vous n'avez pas pris ces précautions et que votre propriétaire est injoignable, il vous faudra faire appel à un serrurier. Mais attendez-vous à payer l'addition ! Selon l'heure de la journée et la distance qu'il devra parcourir pour se rendre chez vous, les frais pourront atteindre une centaine de dollars. Pensez aussi qu'un serrurier n'est pas quelqu'un qui déverrouille n'importe quelle porte à la demande de n'importe qui. Vous devrez, pour qu'il s'exécute, lui présenter une preuve d'adresse et une preuve d'identité.

Perdre son portefeuille ou ses papiers

Un portefeuille est fort pratique, jusqu'au moment où, en le perdant, on perd aussi tout ce qui s'y trouvait : cartes de crédit et carte bancaire, carte d'assurance maladie, permis de conduire, carte étudiante, argent liquide et toutes les choses importantes que vous y avez mis. Aussi, afin d'éviter de perdre absolument toutes vos preuves d'identité en perdant votre portefeuille, **commencez par placer votre certificat de naissance et, si possible, une autre pièce d'identité valable en lieu sûr** (comme votre carte d'assurance sociale, dont la présentation est rarement requise si vous en connaissez le numéro par cœur), **ailleurs que dans votre portefeuille**. Ces documents vous seront utiles lorsque vous devrez, dans le cas d'un portefeuille introuvable, renouveler vos autres cartes et présenter, pour ce faire, des pièces d'identité valides.

Maintenant, dès que vous aurez constaté la perte de votre portefeuille, **commencez par communiquer avec vos institutions financières et de crédit** afin qu'elles désactivent vos cartes de manière à prévenir les fraudes. Ne faites surtout pas la bêtise de glisser dans votre portefeuille une note contenant tous vos numéros d'identification personnels.

Signalez ensuite la perte auprès de la police, mais n'appelez pas le 911 : appelez plutôt votre poste local au cas où quelqu'un aurait rapporté entre-temps le portefeuille perdu.

Contactez ensuite la Régie de l'assurance maladie et la Société de l'assurance automobile du Québec (SAAQ) pour renouveler votre carte d'assurance maladie et votre permis de conduire (et pour obtenir, au besoin, un permis de remplacement). Attendez-vous à ce qu'on vous demande de présenter des preuves d'identité valides (comme votre certificat de naissance) et une preuve de résidence (comme une facture de service récente). En attendant que vous receviez votre carte, la Régie de l'assurance maladie vous émettra un reçu temporaire que vous pourrez utiliser pour éviter de vous faire facturer vos soins médicaux.

Par la suite, il ne vous reste plus qu'à attendre... sans trop vous inquiéter.

Des pensionnaires indésirables et rampants

Voilà un autre genre de problème et on espère que vous en serez épargné. Hélas, il arrive qu'un locataire, même très propre, détecte la présence de vermine dans son appartement.

Dans pareil cas, voici la première chose que vous devez savoir : **quelle qu'en soit l'origine, c'est au propriétaire de vous en débarrasser**. Et cela même si, dans le cas où il pourrait prouver que vous êtes responsable de l'infestation, il intentait par la suite un recours contre vous, pour vous faire assumer les frais d'extermination, par exemple.

Enfin, si vous remarquez la présence d'insectes chez vous, **il faut en aviser le propriétaire le plus tôt possible** afin qu'il prenne les mesures nécessaires pour contenir et résorber le problème. Hormis les souris et les rats, qui se passent de présentation, les parasites principaux des logements locatifs sont les punaises de lit et les blattes (aussi appelées coquerelles ou cafards).

Les punaises de lit

Les punaises de lit sont de petits insectes de la taille d'un pépin de pomme et qui aiment se nourrir de sang humain. Bien qu'il n'ait pas été prouvé qu'elles transmettent des maladies à l'homme, leurs morsures, qui se produisent la nuit pendant que vous dormez, peuvent troubler votre sommeil et causer de sérieux désagréments : taches sur la peau, insomnie, stress et détresse psychologique.

Cependant, l'apparition de punaises de lit n'est pas due à la malpropreté ni à l'insalubrité du logement. Elles ont toutefois tendance à s'exporter facilement. Dans les années 2000, ce parasite est revenu en force semer la terreur dans les matelas urbains, atteignant parfois (à Montréal et à New York, notamment) des proportions épidémiques, contre lesquelles les autorités municipales se sont mobilisées. Ces insectes peuvent se cacher dans les matelas et les meubles d'occasion, sur les sièges d'avion ou dans les chambres d'hôtel, par exemple. Si vous entrez en contact avec ceux-ci, vous pouvez les ramener chez vous.

Que vous ayez ou non des habitudes nomades, prenez les précautions suivantes pour éviter que ces indésirables ne s'infiltrent chez vous.

>> **À l'hôtel**, ne déposez pas vos valises sur le lit ; suspendez-les ou posez-les sur un meuble éloigné du lit et du sol.

>> **Ne ramassez jamais de meubles abandonnés dans la rue.**

>> Avant et pendant un déménagement, gardez vos matelas dans des housses ou des sacs. En haute saison, les camions de déménagement qui effectuent plusieurs trajets en peu de temps (un jour) peuvent propager des punaises de lit.

>> Dans votre nouveau ou votre prochain logement, tâchez d'inspecter les fissures ou les cadres de portes afin d'y détecter leur présence.

>> Si vous achetez des vêtements d'occasion (dans des friperies, par exemple), passez-les dès votre arrivée 30 minutes dans la sécheuse à l'air très chaud avant de les laver ou faites-les nettoyer à sec.

Mis au courant du problème, votre propriétaire n'aura d'autre choix que de faire appel aux services d'un professionnel de l'extermination. Ni lui ni vous ne devez tâcher de régler le problème par vous-mêmes. En attendant sa venue, évitez de vous débarrasser de vos meubles. Un exterminateur qualifié pourra traiter le problème efficacement. Il est recommandé, cependant, de ranger votre literie et vos vêtements dans des sacs fermés hermétiquement et de les verser directement dans la sécheuse (avant de jeter les sacs aux ordures), puis de les faire culbuter 30 minutes à température élevée. Pour prévenir une récidive, passez aussi l'aspirateur *en profondeur* chez vous deux fois par semaine et jetez immédiatement le sac dans un contenant fermé, de préférence une poubelle extérieure. Avant l'arrivée de l'exterminateur, désencombrez autant que possible les pièces de votre appartement pour dégager les endroits cachés ou peu accessibles.

Les cafards

Le cafard, aussi appelé blatte ou coquerelle, peut devenir le cauchemar du locataire lorsque son logement atteint un état d'infestation avancé : qui n'a pas vu ces images de logements où il suffisait d'allumer pour voir ces insectes déguerpir par centaines ? Si vous constatez une telle infestation dès votre arrivée dans l'appartement, cela suffit pour que vous remettiez vos clés au propriétaire et résiliez le bail sur la base que le logement est impropre à l'habitation. Si, plus tard, une infestation critique se développe chez vous, vous pourrez également obtenir la résiliation de votre bail auprès de la Régie du logement si vous prouvez que l'état de l'appartement vous cause un préjudice sérieux.

Cependant, si, *un jour*, vous découvrez une blatte vivante ou un cadavre de blatte chez vous, vous devez aussi en aviser le propriétaire. Mais en appliquant certaines précautions, vous pouvez tâcher d'éviter que le problème ne s'aggrave. Dans un tel cas, tâchez de rendre votre appartement aussi peu intéressant que possible pour ces indésirables en redoublant d'ardeur pour le garder propre :

>> Nettoyez le comptoir, la table, la cuisinière et la vaisselle après chaque repas, sans attendre.

>> Jetez vos ordures dans une poubelle hermétiquement fermée et évacuez-les dans une poubelle extérieure le plus souvent possible.

>> Gardez tous les dévidoirs de vos éviers, lavabos et baignoire fermés avec un bouchon. Les blattes aiment l'eau et peuvent passer par les canalisations.

>> Assurez-vous que les aliments de votre garde-manger soient dans des contenants hermétiquement fermés.

>> Passez l'aspirateur régulièrement pour éliminer les miettes : prêtez attention aux recoins et aux fissures, passez-le aussi sous les armoires, les meubles, et dans les plinthes électriques.

>> Nettoyez l'arrière des appareils électroménagers et autres cachettes potentielles.

>> Bouchez tous les trous dans les murs et réparez (ou faites réparer) toutes les fuites de plomberie ; restez à l'affût de tout ce qui peut causer des infiltrations d'humidité chez vous.

Si vous vous apercevez que ces précautions parviennent à désintéresser cet insecte de votre appartement, cela ne veut pas dire qu'il en soit ainsi dans les autres appartements de l'immeuble. Si possible, interrogez vos voisins pour savoir s'ils ont découvert de ces insectes chez eux, et à quelle fréquence. Informez-en votre propriétaire sans tarder et envoyez-lui, au besoin, une mise en demeure afin qu'il prenne les mesures nécessaires pour faire exterminer les intrus. Au cas où il n'agirait pas rapidement, vous seriez autorisé à engager un exterminateur à vos frais avant de reporter la note de service à votre propriétaire (en tenant la Régie du logement informée, bien sûr).

Chapitre 7
Autres conseils

Acheter un vélo et faire du vélo en ville

Pour les quelques 6 mois de l'année où nous pouvons l'utiliser, le vélo demeure le moyen de transport idéal, à la fois rapide et économique, écologique et, ma foi, avantageux pour votre système cardiovasculaire. L'achat et l'entretien coûtent généralement moins de 300$ par année (en comparaison, posséder une voiture peut exiger un budget de roulement de plusieurs milliers de dollars), somme que vous récupérerez rapidement, compte tenu des frais de transport en commun qu'il vous fera épargner. Et c'est sans compter qu'il y a, dans le simple fait de pouvoir enfourcher son vélo à toute heure pour aller où bon nous semble, ce petit quelque chose de grisant qui vous met le mot « liberté » en tête.

Quoi vérifier en achetant un vélo

Que vous l'achetiez neuf ou d'occasion, ou que vous décidiez de ressortir votre vieille bécane des boules à mites, vous devrez vérifier certaines choses pour être sûr que le vélo en question est celui qui vous convient. Vérifiez d'abord la hauteur du cadre : enfourchez le vélo et placez-vous les pieds à plat sur le sol. Dans cette position, une distance d'environ 2 cm devrait séparer le cadre du vélo de votre entrejambe.

Vous saurez, également, que la hauteur de la selle est bien ajustée si votre jambe se trouve en complète extension quand vous posez le talon sur la pédale (lorsque celle-ci dans l'axe de 18 h). Le guidon devrait se trouver à la même hauteur que la selle.

Après avoir effectué ces vérifications, faites quelques tours de pâtés de maison avec le vélo, lentement, et testez les freins : les deux doivent fonctionner parfaitement et doivent vous obéir au doigt et à l'œil. Puis testez votre dérailleur en essayant toutes les vitesses. Changent-elles au moment voulu ? Se font-elles attendre ? Les vitesses aux extrémités font-elles en sorte que la chaîne se décroche ? Soyez attentif à la chaîne et notez si elle saute. Appréciez le poids général du vélo, qui ne devrait pas être trop lourd, pour éviter que la moindre côte ne se transforme en épreuve insurmontable.

L'équipement

Votre vélo devra être muni d'un équipement sécuritaire de base, exigé par la loi :

>> Un réflecteur rouge à l'arrière, à la base de la selle

>> Un réflecteur blanc à l'avant, à la même hauteur que le réflecteur rouge

>> Des réflecteurs jaunes à l'avant et à l'arrière de chacune des pédales

>> Un réflecteur jaune ou blanc aux rayons de la roue avant (réfléchissant sur les côtés gauche et droit de la roue)

>> Un réflecteur rouge ou blanc aux rayons de la roue arrière (réfléchissant sur les côtés gauche et droit de la roue)

Il est aussi conseillé de se munir de phares à l'avant et à l'arrière, si vous êtes un amateur de vélo nocturne. Procurez-vous un casque bien ajusté : il ne devrait pas être trop lâche, ni balloter sur le front ou la nuque, et ses courroies avant et arrière devraient se rejoindre sous l'oreille et ne pas trop serrer la tête lorsqu'elles sont attachées. Vérifiez aussi la présence des signes CSA, CPSC, ASTM, EN ou Snell à l'intérieur du casque, qui en reconnaissent les normes de solidité standard.

Quant au cadenas, investissez dans du solide : de préférence, le traditionnel cadenas en « U » ou ces cadenas flexibles de bonne épaisseur. Utilisez-le aussi chez vous : si vous prenez l'habitude d'entreposer votre vélo sur un balcon accessible de l'extérieur, attachez-le à la grille du balcon en le verrouillant avec un cadenas, on ne sait jamais.

Ça roule ! Quelques conseils

Posséder le bon vélo, c'est dire adieu aux horaires d'autobus, à la gourmandise des parcomètres, à la lenteur piétonnière et à la dictature du pétrole ; c'est, en somme, disposer du compagnon parfait pour ses déplacements, du moins entre les mois d'avril et novembre (au cours desquels les pistes cyclables sont entretenues). Mais pour qu'il soit le compagnon idéal de vos expéditions et de vos déplacements, il faut quand même respecter certaines règles. Trop d'usagers considèrent leur vélo comme un véhicule passe-partout qu'on peut promener n'importe où et dans tous les sens. Or, le *Code de la sécurité routière* s'applique aux vélos comme aux voitures : ne pas le respecter pourrait entraîner l'inscription de points d'inaptitude à votre dossier de conduite (futur ou présent), comme brûler un feu rouge ou refuser de céder le passage aux piétons (3 points chacun). Lorsqu'un accident se produit, le vélo (et son conducteur) sont souvent les plus vulnérables, alors, il vaut mieux respecter ces principes élémentaires :

1. Le vélo doit toujours être conduit sur la rue, sur la voie qui se trouve à l'extrême droite de la rue (pas de slalom entre les rangées de véhicules).

2. Le conducteur doit respecter le sens de la circulation et non circuler en sens inverse.

3. Il doit respecter les sens uniques.

4. Il doit s'arrêter aux feux rouges, faire ses arrêts obligatoires (stops) et regarder à gauche et à droite avant de traverser une intersection, au même titre qu'une voiture.

5. Le conducteur doit toujours garder les deux mains sur le guidon.

6. Il doit signaler son intention de s'arrêter ou de tourner aux autres conducteurs :
   1. Bras gauche tendu, droit, vers la gauche pour un virage à gauche ;
   2. Bras gauche plié à angle droit (main vers le haut), ou bras droit tendu, droit, pour un virage à droite ;
   3. Bras gauche tendu vers le bas, à environ 20 degrés du corps : ralentissement ou arrêt ;

7. En conduisant, il ne doit pas porter d'écouteurs ni utiliser de téléphone portable (non, mais !) ;

8. Il doit marcher à côté de son vélo sur les trottoirs ou les voies piétonnières. Les trottoirs sont destinés à l'usage des piétons uniquement ;

9. Bien que ça ne soit pas obligatoire (sauf en quelques endroits, comme Westmount), le port du casque est vivement conseillé ;

10. Renforcez votre visibilité en vous équipant, en plus des réflecteurs réglementaires, de bandes fluorescentes et de vêtements voyants ; munissez-vous d'un écarteur de danger – ce petit drapeau fluorescent conçu pour tenir les voitures à une distance minimale du vélo ;

11. En conduisant, tenez-vous à environ 2 m des voitures stationnées afin d'éviter les portières qui s'ouvrent sans prévenir et d'inviter les autres automobilistes à s'écarter ou à changer de voie quand ils vous dépassent ;

12. Enfin, pour éviter la surprésence de véhicules et le trafic intense, préférez les petites rues parallèles aux rues passantes et aux boulevards.

En fait, la prudence recommande qu'en plus de respecter ces principes de base, vous ayez l'esprit disposé à croire que quelle que soit l'erreur qu'un piéton, un cycliste ou un automobiliste pourra faire, il finira tôt ou tard par la faire en votre présence. Usez de votre imagination et soyez alerte : on ne sait jamais quand ces petits écarts de conduite (que vous vous êtes promis de ne jamais commettre, évidemment) menaceront votre sécurité. En voici quelques-uns :

>> **Les débuts du printemps** sont une période de l'année où il faut redoubler de prudence ; les automobilistes ont perdu l'habitude de partager la route avec les vélos et les accidents sont plus fréquents à cette période.

>> **Les portières-surprise**. Vous conduisez trop près des voitures stationnées sur une rue étroite ou bondée, et hop, une portière s'ouvre droit devant vous comme pour que vous fonciez dedans. Pour contrer ce problème, relisez le point 11 ci-dessus ou, si vous n'avez pas le choix, tâchez de repérer des présences humaines dans les rétroviseurs, et conduisez lentement.

>> **Les taxis-frôleurs**. En ville, les chauffeurs de taxi se comportent la plupart du temps en créatures distraites et pressées, et il se peut fort que certains d'entre eux vous frôlent le flanc et les jambes si vous ne prenez pas votre place près du centre de la voie que vous empruntez.

>> **Les diables en boîte** sont des véhicules (vélos, voitures et camionnettes) qui surgissent tout d'un coup d'une ruelle transversale lorsque vous passez. Bang, vous ne l'aviez pas vu, surtout si vous pédaliez sur le trottoir, ce qui augmente de beaucoup ce genre de risque, petit chenapan. Moralité (on se répète) : il faut conduire sur la chaussée, les trottoirs sont faits pour les piétons.

>> **Les brûleurs ou les oublieurs de feux**. Les conducteurs automobiles ne méritent pas tous qu'on se méfie d'eux, loin de là, mais il vaut mieux prévenir que guérir : autrement dit, demeurer alerte. Si vous présumez qu'un véhicule motorisé a quelque raison de faire un virage à droite sans prévenir (intersection, entrée, stationnement), évitez de vous tenir dans son angle mort quand vous traversez cette zone dangereuse. Méfiez-vous des intersections où un véhicule circule en sens inverse et a l'occasion de vous couper la route en tournant droit sur vous sans signaler ses intentions : il y a de bonnes chances qu'il le fasse à un moment ou à un autre. De même, quand le feu tourne au vert à une intersection, tâchez d'avoir l'œil ouvert pour repérer les conducteurs qui brûlent les feux rouges ou qui profitent d'un feu jaune pour donner un coup d'accélérateur.

>> ... et quelques autres irritants. Vous avez raison d'être embêté par les cyclistes qui pédalent côte à côte sur les voies cyclables, car ils encombrent alors tout l'espace disponible et même une partie de la voie inverse. Lorsque vous circulez à deux ou à plusieurs, placez-vous plutôt en file indienne, en laissant devant et derrière vous quelques mètres de distance. Ne laissez personne vous coller aux fesses et ne conduisez pas trop près de la personne qui est devant vous pour éviter qu'un coup de frein imprévu ne se transforme en coup fatal.

>> N'oubliez pas que la rage au volant n'est pas payante. Si toutes ces bonnes dispositions échouent pour une raison ou une autre, tâchez quand même de rester poli envers les usagers avec qui vous avez eu un accrochage. Cela est peut-être plus facile à dire dans le cas d'accidents mineurs, où il y a eu plus de peur que de mal, mais rappelez-vous que vos interlocuteurs seront sans doute plus disposés à admettre leur tort (et vous le vôtre, le cas échéant), et même à être plus vigilants à l'avenir, si vous faites preuve de savoir-vivre à leur égard.

>> Et pour finir, les tentations... Non, vous n'avez pas le droit de brûler les feux rouges, même si la voie est libre, et que personne ne circule à l'intersection. Et il n'est pas plus permis de conduire un vélo sous l'influence de l'alcool (ou d'autres substances), que de le faire en voiture, sous peine d'amende et de points d'inaptitude à votre dossier de conduite.

Le BIXI

Depuis cinq ans, la Ville de Montréal connaît la fièvre du BIXI : ces vélos que l'on peut cueillir à diverses stations de dépôt disséminées dans la ville, contre un abonnement forfaitaire (82,50 $ pour l'année, soit des mois d'avril à novembre ; 32,50 $ pour un mois ou 5 $ pour une période de 24 heures). L'usager du BIXI peut donc emprunter un vélo à la station de dépôt la plus proche, effectuer son trajet et rendre le vélo à une autre station. L'inconvénient ? Les véhicules sont plutôt lourds. Mais l'avantage, c'est que l'usager peut adapter son trajet sans s'encombrer de son propre vélo. Ainsi, certains usagers n'utilisent le BIXI que pour les trajets en pente descendante... et ils utilisent les transports en commun pour faire le chemin inverse !

Bien s'entendre avec ses voisins

Dans les petites communautés, dit-on, il arrive souvent que tout le monde se connaisse; dans les grands centres urbains, dit-on, les gens vivent entassés les uns sur les autres sans se connaître le moins du monde, sans partager le moindre sentiment de communauté. C'est une bien triste situation.

À moins de vous installer dans un bunker insonorisé ou dans un de ces condos récents aux normes d'insonorisation rigoureuses, la vie en appartement implique toujours qu'on se trouve en situation de promiscuité relative avec ses voisins. Vous les entendez marcher et ils vous entendent (si vous vivez au-dessus d'eux), ils partagent parfois des espaces communs avec vous (comme les balcons) et bientôt, ils connaîtront sans doute vos goûts musicaux comme vous connaîtrez les leurs (si personne d'entre vous n'y prend garde, en tout cas).

Mais avant de traiter du comportement à adopter pour éviter les crises, pourquoi ne pas commencer par quelques attitudes et démarches qui augmenteront vos chances de bien vous entendre?

Premiers contacts

Vous déménagez ou un nouveau voisin emménage dans un appartement situé près du vôtre? Profitez-en pour vous présenter (ou lui souhaiter la bienvenue). Bien qu'il soit peut-être très différent de vous, le minimum serait, du fait de votre « proximité », de vous présenter vous-même comme le voisin que vous aimeriez avoir. Celui-ci est-il serviable? Sans doute que oui. Donne-t-il un coup de main de temps à autre? Prête-t-il ses outils? Probablement. Si vous partez quelque temps, se propose-t-il ou accepte-t-il de venir arroser les plantes ou de nourrir le chat? Pourquoi pas... Il pourrait même surveiller discrètement l'appartement vide et faire équipe avec vous si certains recours doivent être intentés (concernant un problème touchant l'immeuble ou un locataire dérangeant qui ne se soucie aucunement du bien-être de ses voisins). Établissez les bases d'une bonne entente dès le départ.

En plus de cet effort de sociabilité, votre effort personnel consistera à contrôler vos sources de bruit en les maintenant à un niveau raisonnable. Si possible, éloignez votre télé et vos haut-parleurs du mur mitoyen, et tâchez d'avoir un certain contrôle sur le volume de votre voix, de la musique que vous écoutez et des visiteurs que vous recevez. N'effectuez pas de tâches ménagères bruyantes (comme passer l'aspirateur) ou de menus travaux (comme clouer quelque chose au mur) en dehors des heures de l'après-midi. Et puisque nous y sommes, faites un effort pour garder les espaces communs propres et fréquentables: par exemple, n'utilisez pas un balcon partagé pour y oublier vos sacs à ordures ou y stocker de vieux meubles.

Vous établirez ainsi une base de bonne entente avec votre voisin et faciliterez aussi les négociations que vous devrez peut-être entreprendre avec lui si un autre voisin finit par adopter un comportement qui vous gêne.

Le bruit

Un nouveau voisin qui vient tout juste de s'installer n'est généralement pas conscient du potentiel sonore de son immeuble et du bruit qu'il provoque. Et comme le bruit (nous en avons déjà traité ailleurs) est généralement la source principale de conflits entre voisins, il est important de négocier ces questions entre voisins, justement, avec autant de calme que possible. Aussi, en dehors des cas exceptionnels – musique tonitruante à minuit – où l'on peut intervenir immédiatement, vous devriez intervenir si vous remarquez chez des voisins une activité bruyante et répétitive qui menace de devenir une mauvaise habitude : visite bruyante quotidienne (même en après-midi), conversations fortes et incessantes, musique, cris d'animaux ou explosions hollywoodiennes émanant de la télévision...

Si vous faites face à ce genre de problème, n'attendez pas que la vapeur vous sorte par les oreilles... Frappez à la porte de vos voisins et expliquez-leur la situation en gardant votre calme : ils ne se rendaient peut-être pas compte du boucan qu'ils faisaient. Surtout, évitez de commettre les mêmes erreurs qu'eux : ne vous lancez pas dans une guerre du bruit (je monte le son, tu montes le son...) qui pourrait mal finir et qui vous prendrait tous les deux en faute.

Avec un peu de chance, ce premier exposé devrait suffire pour que vos voisins corrigent un peu leur conduite – et qu'ils poursuivent leurs activités plus silencieusement. Peut-être pouvez-vous vous fixer un moment de la semaine ou du jour où un certain niveau de bruit serait permis moyennant certaines limites (qui ne menaceraient pas, par exemple, le confort de vos autres voisins) ? À vous de voir...

Évidemment, si cette première (ou même une seconde) tentative de conciliation n'aboutit à rien, il faudra mettre le propriétaire au parfum, puisque ce dernier demeure tenu (comme c'est indiqué dans le bail) de garantir à ses locataires la jouissance *paisible* (non *tapageuse*) du logement. Pour rendre son intervention crédible auprès de vos voisins, fournissez-lui un relevé des « épisodes bruyants » que vous avez observés, avec la date et l'heure : les voisins fautifs ne pourront pas aussi facilement contester ces allégations. Et si cette intervention ne suffit pas, il restera à y mêler la Régie du logement en faisant une plainte en bonne et due forme : le propriétaire pourrait demander, par exemple, la résiliation du bail des voisins dérangeants. Ou vous pourriez réclamer des dommages, une diminution de loyer ou la résiliation de votre bail...

Au bout du compte, la condition d'une bonne « entente » réciproque entre voisins, c'est encore qu'ils fassent en sorte que vous ne les entendiez pas trop... Et que vous agissiez de sorte à ce qu'ils ne vous entendent pas trop non plus[12] !

Partir, rester et les imprévisibles

D'une manière ou d'une autre, après avoir discuté de l'importance de bien s'installer, il semblait aussi normal que nous parlions de la possibilité de partir, de quitter son logement pour une période temporaire ou définitive. À ce chapitre, il y a des choses à expliquer, et cela comporte parfois certains défis.

Le renouvellement et les modifications du bail

Si votre bail, comme la plupart d'entre eux, commence le 1er juillet, le mois de mars est le dernier mois où vous pouvez décider de le renouveler ou non. Pour les propriétaires, le renouvellement du bail est l'occasion de modifier le montant du loyer et, le cas échéant, certaines clauses et règlements du bail, car ils ne sont pas autorisés à le faire en cours de bail : ils ne peuvent le faire qu'à l'étape de son renouvellement.

Si le propriétaire ne veut rien modifier au bail et que vous souhaitez continuer d'habiter le logement, aucune démarche n'est nécessaire. Le bail se renouvellera de lui-même et tel quel, au même loyer et aux mêmes conditions. C'est lorsque vous comptez déménager, ou que votre propriétaire espère modifier le bail, qu'il y a des démarches à faire.

---

12. Nous avons mentionné le bruit comme cause principale de litiges entre voisins, mais l'odeur et la vue peuvent aussi être à l'origine des problèmes. Si de mauvaises odeurs se répandent dans l'appartement, ayez la délicatesse de vous débarrasser au plus tôt de la source de ces odeurs et aérez avant que les voisins ne se plaignent. Finalement, si vous êtes un adepte du nudisme à la maison, posez des rideaux ou installez une pellicule givrée sur les fenêtres. Vos voisins ne sont peut-être pas aussi décontractés que vous.

Échéancier des avis de modification du bail et d'augmentation de loyer		
Type de bail	**Avis du propriétaire**	**Réponse du locataire**
12 mois ou plus	De 3 à 6 mois avant la fin du bail	Dans le mois (30 jours) après la réception de l'avis.
Moins de 12 mois	De 1 à 2 mois avant la fin du bail	
Bail à durée indéterminée	De 1 à 2 mois avant l'application de la modification demandée	
Bail d'une chambre louée	De 10 à 20 jours avant l'application de la modification demandée	

Étape 1. Le propriétaire vous remet en mains propres ou par courrier recommandé une copie de son avis écrit de modification du bail (qui, la plupart du temps, concerne une augmentation de loyer).

Étape 2. Dès la date de réception de cet avis, le locataire dispose d'un délai de 30 jours pour accepter ou contester les modifications proposées. Il peut alors :

>> **Accepter les modifications**. Il n'est pas nécessaire d'aviser le propriétaire que vous acceptez les modifications proposées. Lorsque le délai de 30 jours arrive à terme, si aucune réponse n'a été envoyée, les modifications seront considérées comme acceptées par le locataire et entreront en vigueur le jour du renouvellement du bail.

>> **Décider de ne pas renouveler le bail** et s'engager à quitter le logement à la fin du bail. Cet avis de non-renouvellement doit être envoyé dans les 30 jours suivant la réception de l'avis du propriétaire.

>> **Renouveler le bail en refusant les modifications.** Cette réponse doit également parvenir au propriétaire 30 jours après que vous ayez reçu l'avis de modification.

Quelles pourraient être les raisons de choisir cette dernière option ? Il se peut que vous trouviez que le propriétaire a été lent à agir lorsqu'il s'agissait de faire des réparations. Vous trouvez peut-être que le taux d'augmentation du loyer est trop élevé pour vos moyens ou qu'il excède les taux d'augmentation suggérés annuellement par la Régie du logement, et ce, sans raison valable[13].

Quoi qu'il en soit, si vous choisissez de renouveler le bail en refusant les modifications demandées, le propriétaire pourra, dans le mois suivant la réception de votre avis de refus, s'adresser à la Régie du logement pour lui demander de fixer le loyer ou de se prononcer sur les autres modifications du bail.

Votre propriétaire et vous pouvez aussi négocier une entente mutuelle. Si c'est le cas, l'entente conclue devra être écrite (dans un délai d'un mois suivant l'émission de votre avis de refus) de sorte que votre propriétaire et vous en conserviez une copie. Autrement, le bail sera reconduit aux mêmes conditions que celles de l'année précédente.

S'absenter quelque temps : que faire ?

On vous a offert d'étudier à l'étranger pendant une session ? Vous comptez parcourir l'Europe tout l'été ? Si vous prévoyez vous absenter pour une période allant d'un à quelques mois, vous ne voulez sans doute pas payer de loyer pour un appartement qui resterait inoccupé. Vous pouvez alors sous-louer votre appartement (si vous avez l'intention d'y revenir) ou céder votre bail (si vous avez l'intention de déménager). Deux options parfaitement légales et plus économiques que de continuer à payer un loyer pour un logement vacant.

Sous-louer

Cherchez le candidat qui convient en plaçant des petites annonces et en passant le mot dans les réseaux sociaux, en précisant la période durant laquelle vous avez l'intention de sous-louer. Une fois votre candidat trouvé, envoyez un avis à votre propriétaire, en mentionnant le nom du candidat, son adresse et la date d'entrée en vigueur de l'entente de sous-location. À partir du moment où il a reçu l'avis (ce qui sera confirmé par sa signature en courrier recommandé), le propriétaire dispose de 15 jours pour vous répondre. Seule une raison sérieuse peut lui permettre de refuser votre offre. Et si vous contestez ce refus à la Régie du logement, il appartiendra au propriétaire de prouver comment le nouveau locataire lui nuirait (généralement, par son comportement dérangeant). Enfin, si le propriétaire ne répond pas à votre offre dans les 15 jours, celle-ci est considérée comme acceptée.

---

13. À titre indicatif, la Régie du logement publiait (au moment de mettre sous presse) ses dernières estimations des taux d'augmentation de base sur cette page : www.rdl.gouv.qc.ca/fr/outils/Fixation2013.asp

Quels sont les enjeux d'un contrat de sous-location ?

» Le premier locataire, c'est-à-dire vous, conserve son droit de maintien dans les lieux. La sous-location se termine au plus tard en même temps que le bail principal.

» Le premier locataire demeure entièrement responsable de son logement. Quand il sous-loue son appartement, il joue, à toutes fins pratiques, le rôle de propriétaire à l'endroit de son sous-locataire. Il doit être facilement joignable en cas de pépin, répondre aux besoins du sous-locataire et contacter son propriétaire si celui-ci doit exécuter ou faire exécuter une réparation.

» Le paiement du loyer doit être assumé par le sous-locataire selon les modalités de l'entente qu'il a conclue avec lui. Mais si le sous-locataire ne le paie pas, vous êtes tenu d'acquitter le loyer. (Notez aussi que le sous-locataire a le droit de faire fixer le loyer par la Régie du logement s'il s'aperçoit que vous lui faites payer un loyer supérieur au montant le moins élevé que vous avez payé au cours des 12 mois précédant la sous-location).

» Le lien contractuel avec le propriétaire est maintenu envers le locataire qui a signé le bail. En cas de problème, le sous-locataire doit généralement s'adresser au premier locataire, mais si le propriétaire n'exécute pas ses obligations, le sous-locataire peut exercer des recours de locataire devant la Régie du logement pour les faire exécuter. De son côté, le propriétaire peut demander de faire résilier la sous-location s'il peut prouver que le comportement du sous-locataire lui cause un préjudice sérieux.

Céder son bail

Si vous comptez déménager avant la fin de votre bail, vous pouvez toujours le faire... bien qu'en théorie, vous êtes tenu d'honorer le loyer jusqu'à la fin du bail, quitte à jeter votre argent par les fenêtres ! Mais rassurez-vous : vous pouvez également, et en toute légalité, céder votre bail à un autre locataire de votre choix.

Si vous cédez votre bail, les mêmes obligations que pour la sous-location s'appliquent au début des démarches. Vous devez chercher vous-même (à moins d'une entente différente) le prochain locataire et, une fois cela fait, aviser votre propriétaire de votre intention de céder votre bail, en lui fournissant les coordonnées du prochain locataire. Votre propriétaire doit répondre (favorablement ou non) à cet avis 15 jours après sa réception, sans quoi la proposition sera tenue comme acceptée. Notez cependant que céder son bail signifie ni plus ni moins que vous transférez la totalité de votre bail et ses obligations à une autre personne ; vous renoncez donc à revenir occuper les lieux :

>> Dès que la cession prend effet, tous les droits et obligations sont transmis au nouvel arrivant ; le premier locataire ne peut réintégrer son logement.

>> Lorsque le bail est cédé, tous les liens entre le premier locataire et le propriétaire sont annulés et se reportent sur le nouveau locataire.

>> Le paiement du loyer devient la responsabilité exclusive du nouveau locataire.

>> Le nouveau locataire devient dès lors un locataire à part entière : il dispose des mêmes droits et obligations que le locataire précédent, paie le loyer directement au propriétaire et le contacte directement en cas de problème ou de réparation à faire, etc.

Bref, céder son bail, c'est s'en affranchir entièrement.

La reprise du logement

Un propriétaire, en principe, ne peut forcer un locataire à quitter le logement qu'il loue, à moins qu'il ne décide de le reprendre afin d'y habiter lui-même ou d'y loger un ou des membres de sa famille (père, mère, fils ou fille, ou tout autre parent ou ex-conjoint, dont il est le principal soutien). Il peut également le faire s'il a l'intention de subdiviser, d'agrandir ou de changer la vocation de son logement. Dans un tel cas, le propriétaire est tenu d'envoyer un avis de reprise du logement à son locataire dans un délai d'au moins 6 mois avant la reprise du logement (dans le cas d'un bail d'une année). Il doit aussi spécifier la raison de la reprise du logement, le nom de la personne qui viendra occuper les lieux et son lien de parenté avec le propriétaire. Ces informations sont obligatoires.

Une fois l'avis reçu, vous devez y répondre par écrit dans un délai d'un mois suivant sa réception. Ne pas répondre à l'avis signifiera implicitement que vous contestez la reprise du logement, et le propriétaire sera alors tenu d'introduire au tribunal une demande de reprise du logement et de prouver qu'il a bien l'intention de le reprendre pour les raisons invoquées dans l'avis qu'il vous a envoyé. La Régie du logement pourrait lui refuser la reprise du logement si vous démontrez que le propriétaire n'agira pas conformément aux raisons invoquées dans l'avis, comme louer son logement à une tierce personne qui n'est pas celle qu'il a identifiée. Enfin, si vous acceptez de quitter le logement, mais que vous vous apercevez que l'occupant qui vous succède n'est pas le propriétaire ou la personne mentionnée dans l'avis de reprise du logement, vous pouvez contacter la Régie du logement pour tenter d'obtenir un dédommagement en fournissant au tribunal des preuves solides.

Finalement, votre droit au maintien dans les lieux ne devrait pas être affecté dans le cas où, en cours de bail, votre logement changeait de propriétaire. Un nouveau propriétaire ne peut reprendre votre logement sans respecter la démarche et les conditions concernant la reprise d'un logement.

Dernières remarques sur le budget

Vous avez entrepris de noter vos revenus et vos dépenses, et bien qu'un budget étudiant soit généralement serré, voici quelques trucs supplémentaires pour vous constituer un fonds d'épargne.

Vivre en dessous de ses moyens

Le principe d'un budget équilibré consiste toujours à **dépenser moins que ce que l'on gagne**. Pour ce faire, fixez-vous des objectifs définis (« je veux économiser 2000 $ en un an pour un voyage ») ou (« je veux économiser 20 % de mes revenus tous les mois que je placerai dans un compte d'épargne »), et ajustez vos dépenses variables en conséquence.

Révisez régulièrement vos colonnes de chiffres. Parvenez-vous à afficher un surplus d'argent tous les mois ou tous les 3 mois ? Pour calculer la moyenne de ce que vous pouvez épargner sur une année, calculez votre montant d'épargne sur 3 mois, puis multipliez-le par 4. Divisez ensuite le montant obtenu par 12 (pour obtenir une moyenne d'épargne mensuelle) et prévoyez prélever ce montant ou une partie de ce montant (au moins 50 %) de votre compte courant tous les mois pour le placer dans un second compte qui sera consacré à l'épargne et au dépannage en cas de coup dur.

Ne soyez pas pris au dépourvu

Assurez-vous dans vos calculs que votre compte courant contienne toujours une somme suffisante pour vous permettre d'honorer à temps vos dépenses mensuelles fixes (loyer, factures, etc.). Et tâchez de vous fixer un montant mensuel consacré aux dépenses variables à ne pas dépasser. Afin de respecter ce montant, limitez vos retraits d'argent comptant à un seul retrait fixe par semaine et tâchez de vous y tenir. Si vous vous prévoyez 500 $ de dépenses variables par mois, ne retirez que 120 $ par semaine et tâchez d'en tirer le maximum pendant cette période.

Un coussin financier équivalent à 3 mois de vos dépenses mensuelles

On dit souvent que, pour disposer d'un minimum de sécurité financière en cas d'imprévus, il faut avoir un montant équivalent à **au moins 3 à 6 mois de dépenses mensuelles**. Si, par exemple, vos dépenses mensuelles s'élèvent à 1500 $ en moyenne, un bon coussin financier en prévision des coups durs équivaudrait à un minimum de 4500 $. Vous pourriez vous fixer cet objectif d'épargne à moyen terme : par exemple, avoir amassé cette somme dans votre compte d'épargne à la fin de vos études collégiales (2 ans), en économisant un pourcentage de vos revenus tous les mois.

Apprenez à connaître vos habitudes et contrôlez-les

Pour certains, ce qui brûle les doigts, c'est l'argent liquide. Pour d'autres, c'est la carte de crédit. Si vous faites partie de la première catégorie, n'insérez dans votre portefeuille que de petites sommes et promettez-vous de ne pas dépenser davantage. Si vous faites partie de la seconde catégorie, prenez l'habitude de laisser votre carte de crédit à la maison quand vous sortez. Vous devriez considérer votre carte de crédit comme un outil pour vous dépanner et non comme la porte ouverte à vos achats impulsifs.

Du bon usage de la carte de crédit

La carte de crédit est un outil à double tranchant : si vous honorez scrupuleusement vos paiements mensuels dans les délais, elle augmentera votre crédibilité auprès des institutions financières. Cependant, il suffit d'un paiement en retard ou d'un paiement moins élevé que le montant minimal demandé pour que votre cote de crédit baisse et que vous éprouviez, à l'avenir, des difficultés à obtenir un prêt ou du financement.

Aussi, soyez prudent dans votre façon de l'utiliser : ne vous en servez pas comme prétexte pour vivre au-dessus de vos moyens, mais pour prouver que vous gérez vos finances de façon responsable. **Essayez, si possible, de payer la totalité de votre solde tous les mois** : cela vous évitera de payer des intérêts annuels sur les sommes avancées (soit environ 20 % pour les cartes de crédit générales, et 29 % pour les cartes de crédit des grands magasins). Faute de quoi, **assurez-vous d'honorer *au moins* le paiement minimal dû avant l'échéance**, qui est d'environ 21 jours après l'émission de votre relevé de compte.

Combien coûtent les taux d'intérêt?

Pour les cartes de crédit, les taux d'intérêt sont calculés sur une base annuelle, ce qui veut dire ni plus ni moins que si vous vous contentez de rembourser le paiement minimal tous les mois, un certain pourcentage de ce paiement sera prélevé de manière à ce qu'au bout de 12 mois, vous aurez payé un total de 20 % d'intérêt qui s'ajoute à la somme que vous devez. Imaginez, par exemple, que vous devez 1000 $ sur votre carte de crédit, et que l'émetteur de la carte vous demande de payer un montant minimum de 30 $ par mois. Eh bien, sur les premiers 30 $ que vous paierez, environ 16,50 $ serviront à payer les intérêts uniquement (soit un douzième des 200 $ que représentent les 20 % d'intérêts dus sur 1000 $). Le mois suivant, votre solde affichera donc 983,50 $ (et non 970 $), et sur les 30 $ que vous rembourserez, environ 16,40 $ seront perçus en intérêts (soit un douzième de 983,50 $), et ainsi de suite. À terme, quand votre solde sera (plusieurs années plus tard) revenu à zéro à coup de remboursements de 30 $, vous aurez payé environ 600 $ en intérêts seulement. (Et votre achat à crédit de 1000 $ au taux d'intérêt annuel de 20 % vous aura coûté environ 60 % plus cher que si vous l'aviez payé comptant!)

Après ce petit calcul, est-il besoin d'insister sur le fait qu'il est de loin préférable de **payer tous les mois la totalité de son solde de crédit**? C'est bien la seule manière de se tenir éloigné des ponctions des taux d'intérêt, qui font en sorte que vous jetez votre argent par les fenêtres. **Qui paie plus vite, paie moins**.

Épilogue

Et Étienne ?

Étienne, six mois plus tard

Finalement, les nouvelles tâches d'Étienne n'étaient pas si pénibles. Comme certains étudiants en difficulté d'écriture se présentaient chez lui régulièrement pour des leçons privées, il avait bien fallu qu'il apprenne à s'organiser pour les recevoir décemment. Les résultats n'étaient pas parfaits, car il ne pouvait tout prévoir, mais il tendait à prendre ses pépins pour des aventures et, heureusement, à en tirer des leçons. Il s'était mis à préparer ses repas et à compter son argent, et il commençait à se trouver habile au nettoyage, même si sa tendance à sortir ses ordures n'importe quel jour lui avait valu une seconde visite irritée de sa voisine. Il avait fini par retenir qu'il y avait un jour désigné pour l'enlèvement des ordures ménagères, et un autre pour le recyclage.

Un jour, Étienne a constaté qu'une petite flaque d'eau s'était formée sous son réfrigérateur. Derrière la plaque, au bas de l'appareil, il a découvert un bac d'eau stagnante rempli à ras bords. Il l'a vidé, puis a appelé son propriétaire : « Je ne sais pas ce qui se passe, dit-il, mais mon réfrigérateur coule. » Ce n'est qu'à ce moment que le propriétaire lui a expliqué la fonction du dégivreur automatique, par lequel la glace fondue descendait régulièrement dans le bac. Pourquoi ne lui avait-il pas dit ça dès son arrivée sur les lieux ? Il ajouta « vider bac du dégivreur » à la liste des tâches qu'il avait affichée sur la porte du frigo.

Cependant, quand venait le temps d'exécuter ces tâches, ça ne l'ennuyait pas. Nettoyer un peu, réussir un plat, tenir le compte de ses dépenses et de ses revenus s'inscrivaient maintenant dans son quotidien au même titre que ses périodes d'études, la mise au propre de ses notes de cours ou la préparation des leçons qu'il donnait. Pour se changer les idées, il se mettait à nettoyer quelque chose dès qu'il sentait peser sur lui la fatigue de la lecture. Pour abattre plusieurs corvées en même temps, il faisait jouer une compilation musicale qu'il avait conçue exprès pour se donner du cœur à l'ouvrage. Et comme il savait que l'appartement était mal insonorisé, il mettait des écouteurs.

Étienne considérait maintenant « la vie adulte » comme un jeu, une course à obstacles remplie d'imprévus et de prises de conscience. Tout ce qu'il réussissait lui semblait une victoire de plus contre le désordre, un pas de gagné vers l'autonomie. Il avait encore tant de choses à découvrir et à apprendre… et pour ça, il avait toute la vie devant lui.

Bibliographie
et liens utiles

>> **Bried, Erin**, *Comment coudre un bouton et autres astuces que connaissait votre grand-mère*, Paris, Marabout, 2011

>> **Bureau de consultation jeunesse inc.,** *Tout ce qu'il faut savoir pour partir en appartement*, Verdun, BCJ, 2007

>> **Centre d'intervention budgétaire et sociale de la Mauricie**, *Crédit 101, Notions de base entourant le crédit !*, Trois-Rivières, CIBES, 2012

>> **Centre d'intervention budgétaire et sociale de la Mauricie**, *Je pars en appartement*, éd. rév., Trois-Rivières, CIBES, 2011

>> **Centre jeunesse Gaspésie/Les îles** *Mon premier chez-moi !*, Gaspé, Le Centre jeunesse Gaspésie/Les îles, 2009

>> **Chaulet, Sandrine**, *Je n'appelle plus papa ! Je n'appelle plus maman ! Manuel très pratique à l'usage de ceux qui prennent leur indépendance*, Paris, Hachette Pratique, 2009

>> **Communications CVM**, *Guide Info-Logement*, Montréal, Cégep du Vieux-Montréal, 2008

>> **Option consommateurs**, *Le locataire avisé*, Montréal, Les Éditions de l'Homme, 2002

>> **Pastinelli, Madeleine**, *Seul et avec l'autre. La vie en colocation dans un quartier populaire de Québec*, Québec, Presses de l'Université Laval, 2003

>> **Protégez-Vous**, *Guide pratique Finances personnelles 2013* (hors série), Montréal, Éditions Protégez-Vous, 2012

>> **Protégez-Vous**, *Guide pratique du locataire : Tout ce que vous devez savoir sur vos droits, vos obligations et vos recours* (hors série), 3e éd., Montréal, Éditions Protégez-Vous, 2011

>> **Publications du Québec**, *Bail de logement, Formulaire obligatoire de la Régie du logement*

>> **Service régional d'admission du Montréal métropolitain (SRAM)**, *Guide pratique des études collégiales au Québec*, 30e éd., Montréal, SRAM, 2012

>> **Vinet, Jean-François**, *Étudier à Montréal sans se ruiner*, Montréal, Guides de voyage Ulysse, 2010

Liens utiles

AIDE FINANCIÈRE AUX ÉTUDES, QUÉBEC
www.afe.gouv.qc.ca/index.asp

CENTRE D'INTERVENTION BUDGÉTAIRE ET SOCIALE DE LA MAURICIE (CIBES)
www.consommateur.qc.ca/acef-mau/index.htm

ÉDUCALOI (INFORMATION JURIDIQUE)
www.educaloi.qc.ca

MON APPART, MES DROITS !
www.monappart.ca/statique/

OFFICE DE LA PROTECTION DU CONSOMMATEUR DU QUÉBEC
www.opc.gouv.qc.ca

RÉGIE DU LOGEMENT DU QUÉBEC
www.rdl.gouv.qc.ca/fr/accueil/accueil.asp

TES AFFAIRES.COM (UN SITE DE L'AUTORITÉ DES MARCHÉS FINANCIERS)
www.tesaffaires.com/index.php/fr